우 리 의 방 식
(부 제 :세 상 아 덤 벼 라)

우리의 방식 (부제:세상아 덤벼라)

발 행 | 2024년 6월 5일
저 자 | 김수정
펴낸이 | 한건희
펴낸곳 | 주식회사 부크크
출판사등록 | 2014.07.15.(제2014-16호)
주 소 | 서울특별시 금천구 가산디지털1로 119 SK트윈타워 A동 305호
전 화 | 1670-8316
이메일 | info@bookk.co.kr

ISBN | 979-11-410-8824-8

www.bookk.co.kr

우리의 방식 (부제: 세상아 덤벼라)

김수정 지음

CONTENT

우리의 방식

(부제:세상아 덤벼라)

장르:로맨틱 방송계 종사자물

01화

BGM:IVE(아이브)-Kitsch(키치)

병신도 이런 병신이 없다.

친오빠라는 힘만 센 병신같은 놈 하나 못 이기고

먼저 출근을 못했다.

오늘도 친엄마라는 작자는 나보고 타박을 하겠지.

1살 차이밖에 안 나는 여동생이라서 그런거라면서.

친엄마라는 작자는 나에게 숙적과도 같은 존재다.

왜냐? 내가 친오빠보다 고작 1살 터울이라는 것 때문

에

친엄마의 건강을 내가 심하게 상하게 했다며 난 엄마

뱃속에

있을 적부터 친엄마라는 인간의 눈엣가시였다.

그랬는데 이제는 내가 방송 작가다.

드라마, 예능 등등 모든 방송을 두루 다 써재끼는 유

망 작가.

하하하! 인생이 이렇게도 뒤바뀔줄을 누가 알았던가!

친엄마라는 인간에게 난 속으로 친오빠만 편애하며

나는 건강을 해친 처녀귀신 취급하며 개무시한 댓가라며

고소해했다.

주민연. 내 이름이다. 내가 멸시하는 내 친오빠의 이름은

주현길이다. 이름만 들어도 재수없다. 길만 걸어가도

뒤로 넘어졌는데 코가 깨지는 내 재수없는 인생을 비유한 이름같아서.

내가 멸시하는 친오빠 주현길의 직업은 방송 PD다.

힘만 센 병신이라고 생각했는데 공부도 잘해, 외모도 뛰어나,

나에게는 한 푼도 지원 안 해주는 부모가 재력까지 몰빵해줘,

그 덕에 어느 날 갑자기 내 친오빠 주현길은 자신이 좋아하는

유명한 예쁜 여자 연예인들과 스폰을 해주고 다니고 싶다며

덜컥 방송 PD 시험에 붙어 방송 PD가 되었다.

나는 철저하게 주현길의 집에서 주현길의 없는 여동생이 되어

주구장창 스트레스성 대본을 써재끼다가 친구의 추천으로

대본 공모전에 나갔다가 덜컥 3등을 하게 되어 방송 작가가 되었다.

그것도 내가 멸시하는 친오빠라는 인간과 동시에 출퇴근 날짜를

받게 되었다.

그 때부터였다.

내가 친오빠라는 인간을 더욱 더 멸시하기 시작하게 된 것은.

친오빠라는 인간은 내게서 친엄마의 사랑을 모두 다 가져갔고,

어차피 장가가서 내 눈 앞에 안 띌 존재라 여기게 되었다.

내가 못 가지는 모든 것을 다 가진 존재니 말이다.

같은 집에서 살아도 주현길은 왕자, 나는 거지다.

그리고 말도 안 되겠지만 주현길은 방송 PD로써 신인 예쁜 여자 연예인들을

몰래 스폰해주고 다녔다.

내가 내 친오빠의 스폰 리스트를 숨기고 있으니 망정이니,

터뜨리게 된다면 난리가 될 것이다.

그리고 그것을 내 친오빠인 주현길은 몹시 불안해했다.

주현길은 어느 날 방송국 뒷 편에 날 불러내 날 추궁

했다.

친오빠인 주현길과 나는 사이가 몹시 안 좋다.

"너, 내가 몰래 신인 여자 연예인들 스폰 해주는 거 알지?

그거 다른 사람한테 발설하지 마. 한 명한테라도 발설하면, 그 날로

너 죽고 나 죽고다."

풋.

나와 피가 섞인 내가 몹시도 멸시하는 주현길이라는 친오빠가

그 말을 하자 내가 코웃음을 쳤다.

그러자 주현길이 놀라서 날 쳐다봤다.

표정이 꼭 날 몹시도 눈엣가시로 여기는 친엄마와 닮았다.

"걱정 마셔. 오빠는 다 가진 부와 명예, 나는 하나도 못 가져서

빌빌 대는 게 내 인생이니까."

"그래. 잘 생각했다. 넌 언제 굶어죽을지 모르는 불쌍한 고아같은 인생인거야.

알지? 그거 잘 명심하고. 수고해라."

친오빠가 힘만 센 더러운 두 팔뚝으로 팔짱을 끼더니 가버렸다.

"...등신같은 새끼."

다시 한 번 말하지만 친오빠와 난 사이가 아주 안 좋다.

내가 추궁을 하고 뒤돌아서 가버리는 친오빠의 먼 뒷모습에다 욕짓꺼리를 했다.

1-1.

얼마 전, 내가 몹시도 좋아하는 남자 아이돌이 생겼다.

어찌나 잘생기고 착하던지, 연애를 하고 싶을 정도였다.

...하지만, 숨겨놓은 여자가 4명이나 된다.

양다리남이다.

덕분에 난 그를 멀리서 지켜볼 수 밖에 없다.

방송계와 연예계에서 종사하는 남자들은 이렇듯 다 병신들밖에 없다고 보면 된다.

그의 이름은 설국열.

별명이 설국열차다.

난 그 별명조차도 어찌나 귀여운지 뽀뽀를 갈기고 싶을 정도다.

...물론, 이 사실을 힘만 센 더러운 남창인 친오빠와 날 눈엣가시로 여기는

친엄마한테 들키면 말로 매타작을 맞겠지만.

"...하아..."

오늘은 다큐 대본을 나 포함 작가 3명과 협의 하에 써

재끼고

밤 9시에 나 혼자서 방송국 밖 의자에 내가 좋아하는 음료인

포카리스웨트 캔을 하나 뽑아와서 앉아 한숨을 내쉬었다.

...오늘도 야근이다.

내 인생과도 같은 다큐멘터리를 써재끼고나니 신기하게도

마음이 조금은 위로가 되었다.

동병상련이라는 것이 이런 거구나, 싶다.

그리고... 말도 안 되겠지만... 친구도 없다.

방송국 친구 연예인 친구 어마무시하게 많은 친오빠 주현길과

다르게 나는 인맥 하나도 없다.

말동무하는 친구라도 있었으나 손절 당한지도 오래되었다.

캔을 똑 따서 마시기 시작했다.

이거라도 마시니 살 것 같다.

...제기랄...

띠리링-

푸웁-!!!!

작가인가?

나와 같이 일하는 작가가 일 때문에 연락한 건지

궁금해서 핸드폰을 켜봤으나 친엄마다.

친엄마한테 문자가 한 통 와있었다.

마귀애미:빨리 집에 들어와라. 너도 아가씨야.

이 밤 중에 무슨 야근이니? 너희 친오빠는 벌써 퇴근해서

방에서 자고 있다.

마귀애미는 나만의 친엄마 애칭이다.

그러시겠지.

별로 듣고 싶지 않은 친오빠의 소식을 문자를 통해서 듣게 되자

열이 받아서 다 마신 캔깡통을 강하게 한 손으로 움켜쥐었다.

그리고선 걸어가다가 휴지통에 집어던져 버렸다.

아니나 다를까, 그 순간에 친엄마한테 전화가 온다.

띠리리리-

내가 망설이다가 전화를 받았다.

"어디니?"

엄마다.

"...야근 중인데 왜 전화하셨어요."

"...아가씨가 오밤중에 무슨 야근이야!

빨리 집에 들어와라! 네 친오빠는 벌써 퇴근해서 방 침대 위에서

뒹굴뒹..."

"아!!! 듣기 싫어요!!! 친오빠 얘기 좀 그만 하세요!!!!
귀가 썩!!!!! 하... 죄송하고요. 작업 조금 있으면 끝나
니까
조금 있다 들어갈게요."
"그래. 얼른 들어와라. 알았지?
그리고 네 하늘과도 같은 친오빠를 향해서 예의범절을
갖추어라.
알겠지? 엄마는 전화 끊는다."
뚝-
또 지 할 말만 하고 끊는다.
"그래!!!! 나는 너한테 눈엣가시겠지!!!! 친엄마라는 탈
을 쓴 마귀야!!!!"
내가 끊긴 폰을 붙잡고 혼자 성냈다.
몇 일 전...
"넌 폰을 투지폰으로 바꿔라. 늙은 노인네들이 쓰는 폴
더폰으로."
난데없이 친오빠라는 작자가 쉬는 시간에 날 방송국
뒷 편으로
불러내더니 이상한 말을 했다.
"...내가 왜?"
"넌 연락하는 사람이 없잖아. 무엇하러 스마트폰을 쓰
니?
너같은 애들이 스마트폰 중독되는 거야. 스마트폰 중

독을 예방하기

위해서, 그리고 연락하지 않는 불쌍한 너의 스마트폰
을 위해서라도

네 폰을 폴더폰으로 속히 바꿔라."

"...남이사. 아빠가 내가 돈 벌어서 스마트폰 좋은 거
쓰랬어."

"그건 아빠 입장이고. 난 네 친오빠잖니? 내 말을 들
어.

넌 좋은 스마트폰을 쓸 가치가 없어. 얼른 폴더폰으로
바꾸도록 해."

"...아, 싫다니까!! 내가 번 돈 스마트폰 사는 데 쓰겠
다는데 오빠가 뭐 참견이야!!"

"...좋은 조언을 해줘도 난리야. 그럼 네 맘대로 하던
지."

친오빠라는 병신같은 남창새끼가 휙 뒤돌아 가버렸다.

"등신새끼... 빨리 뒤져버려. 남창새끼야."

친오빠의 스폰 리스트를 알고 있는 나는 친오빠가 역
겨워 그의 콩알만한

뒷모습에다 욕짓꺼리를 안 하려고 해도 안 할 수가 없
었다.

1-2.

세상에서 철저한 약자로 태어나 철저한 약자로 사는

나는 스폰을 구할수도,

스폰을 해준다는 사람도 없었다.

그래. 솔직하게 말하자면 예쁘고 늘씬하고 젊은 아가씨 방송 작가들 중에선

스폰을 구해 작품을 쓰고 돈 많이 받고 부업으로 작가일을 하는 작가들도 많았다.

상상 초월이었다. 처음 그 이야기를 들었을 땐...

그러던 어느 날...

나는 오랜만에 야근을 안 하는 날이었고, 한 통의 전화를 받았다.

"여!! 주현길 여동생이지?? 방송 작가!!"

...얜 또 누구야.

마음 속으로 친엄마마냥 가시들이 자라났으나 애써 지워냈다.

"...아, 네. 안녕하세요."

"...너 혹시 남자 연예인 좋아해?? 그... 사람들한테 인기많은

남자 아이돌 그룹 맥스(MAX) 말이야!!

근데 네가 나이가 스물 여섯이라... 안 좋아하려나?..."

남자 아이돌 그룹 맥스라면...

내가 좋아하는 설국열이 멤버로 있는 그룹이잖아!!!!

"하... 완전 사랑하죠... 싸가지 밥말아먹은 가식남이라는

점만 빼면..."

"...엇?? 그랬나??... 어쨌든, 걔네들하고 우리 방송 PD들하고

같이 술 먹는 자리인데, 너도 올래?? 네가 작가긴 한데...

너처럼 연예인하고 안 친해보이는 작가는 본 적이 없어서!!!

소개도 할 겸... 애들한테는 프로듀서 온다고 했으니까..."

"갈게요!!! 당장 갈게요!!!!!"

아, 이게 뭔 횡재야!!!!!

주현길 인맥만 아니라면!!!!!

주현길 인맥이 아닐 확률은 0%겠구나...

썩을... 그 남창 구린내가 여기까지 풀풀 나네.

"...거기가 어디죠?"

통화를 하며 내가 물었다.

1-3.

난생 처음으로 하는 방송 관계자들과 연예인들과의 술자리 합석.

그 곳에는 내 생각 외로 방송 작가들도 많았고, 방송 프로듀서들,

방송 PD들, 작곡가, 작사가들, 연예인들 등 연예인만

빼면 방송

관계자들은 다 모여있었다.

"여기야!!"

통화 너머로 들었던 낯익은 목소리의 주인공이 나를 손짓하며 불렀다.

크기가 큰 포장마차에서 술자리가 이루어지고 있었다.

"...어... 안녕하세요..."

내가 말했다.

"네가 전화 안 받아서 방송국 전화번호로 전화했어!! 왜이렇게 전화를 안 받아?? 보이스피싱이라도 당한 적 있어??"

"...죄송해요... 요새 사기꾼들 전화가 많아서 모르는 전화는 안 받아요."

"아... 그렇구나. 어쨌든 내 이름은 안성규야. 방송 PD 고.

너희 친오빠랑 동갑!"

남자 방송 PD가 참 곱상하고 잘생기고 착해보였다.

...더러운 남자들이 가득한 방송계와 연예계에서 유일하게 빛나보이긴 했다.

그래도, 내 사랑 국열이에 비하면 별거 아니지만.

설국열은 나와 동갑인 유명 인기 남자 아이돌이다.

숨겨놓은 여자가 4명인, 4다리남이다.

한 마디로... 여자친구가 4명이다.

이 사실이 만천하에 알려진다면,

...생각만 해도 끔찍하다.

"포장마차 식탁이 3명 밖에 못 앉아서, 나랑 국열이 앉혔는데."

아니, 내가 제일 좋아하는 설국열이랑 같이 앉다니!!!

성공한 덕후를 보고 이런 거라고 하는 거겠지!!!

"...아니요... 너무 좋네요..."

내가 앉아서 발가락을 꼼지락대며 설국열의 고급진 신발과

양말을 쳐다보며 말했다.

아무려면   어때.   설국열의 19292929294848488329052385902353238번째

여자친구라도 된다면 만천하에 엎드려 감사하다고 경배할 준비가 되어있다.

"...혹시... 내 팬인가 봐요?"

뭔가 설국열이 몹시 언짢다는 목소리로 내게 물었다.

그 말에 내가 얼굴을 번쩍 들어 설국열의 얼굴을 쳐다봤다.

설국열의... 그 희귀한 쌩얼이다.

그런데 쌩얼도 몹시 잘생겼다!!!

난 속으로 하나님 감사합니다를 수백번도 더 외치며 말한다.

그게 설국열과 멀어지는 계기가 될 줄은... 꿈에도 몰

랐다.

"네... 조금 됐어요. 팬 된지는요."

내 말에 설국열이 표정이 난생 처음 보는...

카메라 앞에서는 본 적이 없었던 벼락 맞은 듯한

끔찍해하는 표정을 하며 내게 말을 한다.

"...저는 제 팬은... 별로 안 좋아해요.

아니... 싫어한다고 하면 될까요.

지금도 이 자리에 따라온 제 사생팬 덕분에요."

설국열이 내게 말했다.

"...저... 저는 그렇게 나쁜 팬 아니에요!!!

사... 사랑한다고요!!!!"

내 가족에게도 한 번도 해본 적 없었던 사랑한다는

말을 생판 모르는 남인 좋아하는 아이돌인 설국열한테

할 줄은 꿈에도 몰랐다.

"...사랑하든 말든 내 알 바 아니고요, 그래서,

나한테 원하는 게 뭐예요?!?!?!

뭐, 유사연애?!?!?!

뭐, 아들 노릇이라도 해줘요?!?!??"

설국열이 나한테 성을 냈다.

".............."

내가 멍해졌다.

"국열아... 처음 보는 사람이잖니.

팬이기 전에, 생판 모르는 남이야."

같이 앉아있던 성규라는 남자 피디가 말렸다.

"나한테 성희롱이라도 하려는 속셈인가본데,

안 속아요!!! 내가 뭐 한 두번 속아 봐?!?!?

성추행하려고 불렀어요?!?!? 아님, 성폭력!?!??!?!"

설국열이 나에게 성을 냈다.

나는 내가 좋아하는 이성 연예인이 나에게 화를 내는

이 말도 안 되는 상황에 어찌할 바를 못 느꼈다.

"........."

"...설국열!! 너 애처럼 왜 이래. 그만 하라고."

성규가 국열에게 말했다.

"...왜? 내가 하는 말 다 맞잖아요.

내가 언제 틀린 말 했어?

피디님. 피디님 혹시 이 여자 좋아해요?

그래서 이렇게까지 감싸주는 거예요?"

국열이 말했다.

"......난 그저, 주현길 인맥으로써, 주현길 여동생이라

길래,

술자리에 합석시켜주려고......"

그 말에 성규가 말을 얼버무렸다.

"...하!! 성규형이 이렇게 말 얼버무리는 거 보니까 맞

네.

언제부터 좋아했어요? 뭐, 나는 연애 상대로도 안 되

나봐요?"

- 19 -

"...설국열! 너 몰래 연애하잖아! 그것도 여자 4명이나 번갈아가면서!"

성규가 국열에게 성을 냈다.

"그건 그거고, 이건 이거죠!

...이 여자, 머리 냄새도 고약한데 왜 좋아해요??"

국열이 가까이서 콧 속에 스며들어오는 값 싼 샴푸 냄새에

진저리를 치며 말했다.

"...고약한 머리 냄새가 아니라, 샴푸 냄새야.

설국열 너 그만 좀 해라. 언제 철 들래!"

"그래서, 이 여자 왜 불러낸거냐고!"

국열이 말했다.

"......그래!!! 미안하다!!! 미안해!!!

....라이징 방송 작가라, 좋아하는 남자 연예인하고

스폰 관계로 맺어주려고 불러냈다!!!!

그러면 민연이가 좋아할 것 같아서!!!!!"

성규가 말했다.

....

나는 이 말도 안 되는 상황에 그만 넋이 나가 버렸다.

"그래, 그럴 줄 알았어!!!! 남자 방송 피디들이 다 그렇지!!!!

다 변태들이지!!!! 변태들이야!!!!

내가 이 보잘 것 없는 여자하고 무슨 스폰 관계를 해

요?!?!

나도 보는 눈이 있지!!!! 나는 뭐 보는 눈 없는 줄 알아요?!?!?!"

국열이 말했다.

"니가 스폰을 해주던가 하면 되지!!! 어쨌든 민연이를 만족시켜주란 말이야!!!"

성규가 말했다.

"내가 무슨 남창인줄 알아?!?! 싫어요!!!

그것도 이런 보잘 것 없는 여자랑 뭘 해?!?!?!?

아무 것도 하기 싫어요!!!"

국열이 그 말을 하더니 벌떡 일어났다.

"야, 너."

국열이 재수없단듯 민연을 벌떡 일어나 깔아보며 흘겨보면서 말했다.

그러자 민연이 국열을 앉아서 위로 쳐다봤다.

".......앞으론 내 눈 앞에 띄지 마라.

그리고 내 전화번호 알려고 하지도 마라.

.............죽여 버린다."

국열이 민연보고 그 말 찍 내뱉더니 가버렸다.

"........................"

내 최애가.....

4다리 걸치는 쓰레기인줄은 알았지만......

나보고 내 눈 앞에 띄지 말라며 내 전화번호 알려고

하지도 말라며

죽여 버린다고 하는 남자였다니......

'죽여 버린다.'

'죽여 버린다.'

'죽여 버린다.'

....

"민연아.... 너무 신경 쓰지 마. 쟤가 철이 덜 들어서
그....."

성규가 말했다.

"........아아악~~~~!!!!!!"

민연이 충격 받아 소리를 치며 포장마차의 철로 된 둥
그런 식탁에 얼굴을 박았다.

주민연...... 넌 엄마 뱃속에 있을 적부터 되는 일이 더
럽게 없구나.....

......엄마 뱃속에 있을 때부터 주민연 넌 지독히도 사
회적 약자이자 병신이구나.......

........그렇게 잉태되어 태어난 내가 병신이
지...............

2화

BGM:권진아-우리의 방식

그리고 또 한 명의 여동생이 있는데, 나와 한 살 터울
이다.

....즉, 나보다 한 살 어린 25살이라는 거지.

내 여동생은 어릴 적부터 여배우로 자라났다.

어찌나 애가 곱고 예쁘고 기억력이 좋은지, 사람들이 다 감탄 할 정도였다.

...당연히 우리 오빠 주현길만큼은 아니지만 우리 부모님이 돈을 몰빵하며 추종하기 시작했고,

나는 또 저 먼 뒤로 밀려나게 되었다.

내 여동생의 이름은 주예지이다.

예지는 미안하지만.... 우리 오빠 주현길이 여배우들한테 스폰을 해주고 다닌다는 사실을

까맣게 모르고 있다.

나는 이번에 드라마 보조 작가로 들어가게 되었다.

내 다큐멘터리같은 인생에, 드라마 작가라니... 어울리지 않는다.

오늘도 아침에 한숨을 푹 내쉬며 출근을 했다.

...아는 것도 없고, 어딜 가나 단명 팔자라는 얘기를 듣고 살아온 내가, 무슨 꿈을 이룰 수가 있을까.

...아, 이미 이뤘나. 방송 작가가 되긴 했으니까.

"야. 오늘 기분 안 좋아보인다?"

나와 동갑인 여자 방송 작가가 말했다.

"....나야, 뭐 맨날 기분 안 좋지, 뭐~"

내가 말했다.

"...그러니까, 집을 나오라고~ 맨날 엄마한테 치이지,

오빠한테 치이지, 여동생한테 치이지,

네 편은 아빠밖에 없잖아~ 아빠한테 지원해달라해서 집 나와~"

동갑 여자 방송 작가 김윤지가 말했다.

"...야. 넌 다큐멘터리도 못봤냐? 시궁창같은 집에서 살라고? 절~대 싫어!! 안 그래도 사회적

약자나 다름없는 인생 살고 있는데!!"

민연이 말했다.

"...어휴, 답답이!! 너 거기서 살다가는 인생 쫑난다니깐?? 아, 나도 모르겠다.

네 인생 네가 알아서 사는 거지. 어차피 집이 달라도 직장이 똑같으니."

윤지가 말했다.

".....그래. 난 이미 포기했다."

민연이 말했다.

더럽게도 예쁘고 기억력이 좋아 대사도 잘 외우는 내 여동생 주예지가 내 드라마에

들어오게 되었다.

그것도 여주인공으로.

나는 보조 작가라 여주인공 대사를 쓸 수 없긴 하지만.

2-1.

"....주민연이라 했던가? 이번에 네 여동생이 여주로 왔지? 여주 대사 한 번 써 봐."

유명 여성 드라마 작가 이민혜님이 말했다.

"저, 정말요?! 감사합니다!!!"

"그래! 대신, 잘 써야 된다? 내 작품 망치지 않게."

민혜가 싱긋 웃으며 말했다.

...내 다큐멘터리같은 인생에서 드라마 보조 작가를 하게 되었는데,

거기에다 여주인공 대사까지 쓰게 되었다니.....

주민연, 너 운은 진짜 어디까지 좋을 거니.

...운빨 작살 난다.

그렇게 드라마 대본 작업을 다 끝마치고.

...조금 있으면 또 수정 작업을 해야한다.

잠깐 밖으로 나왔다.

오후 7시 36분.

내가 방송 작가가 된 지도 얼마의 시간이 흘렀던가.

...잘 모르겠다.

솔직히 말하면 난 대학교도 제대로 나오지 못했으니까.

...부모님의 반대로 말이다.

부모님은 어릴 적부터 나를 바보로 보았다.

거의 천재처럼 떠받드는 오빠 주현길과 천재는 아니더라도 수재처럼 떠받드는

여동생 주예지와는 다르게 나는 어릴 적부터 부모에게
바보취급 받고 살았다.

학교에서 친구를 데려와도, 부모님은 늘, '너닮은 바보
를 친구로 데려왔네.'라고 하셨다.

그래서 난 거기에 뿔이 난 것이다.

하지만, 이제와 탓해서 무엇하겠는가.

이미 다 지나버린 일인 걸.

바람은 잘도 분다.

애초에, 나는 친형제자매들과 사이가 안 좋다.

내 것들을 모조리 다 뺏어가버리는 친형제자매들 때문
이다.

그리고, 내 성격 자체가 사람과 친하는 성격이 아니기
도 하고.

띠리리-

전화가 한 통 왔다.

방송국 전화번호다.

"여보세요?"-민연

"...어제 주민연 작가님 맞으세죠? 저예요. 그룹 맥스의
설국열이요."-국열

그 말에 민연이 벌떡 일어났다.

"...앗, 네!! 국열씨!! 무슨 일로??"-민연

"어제는 죄송했다구요. 그리고... 드라마 하신다고 들었
는데.... 저 까메오로라도

드라마에 넣어주실 수 있나 해서요."-국열

앗!!.... 국열이 정도면 돈 잘 벌텐데... 굳이.. 드라마를...?

민연이 생각했다.

"...그, 그런데 저도 드라마 일개 보조 작가라...... 드라마를 집도하는 건 아니라서..."-민연

"...휴... 역시나 그럴 줄 알았어요. 알았습니다. 끊을게요."-국열

"....자.. 작가님한테 얘기는 해볼게요!!!"-민연

"...그래요?? 그럼 저 꼭 얘기 좀 해주세요!! 꼭이예요!!"-국열

"네!!"-민연

뚝.

전화가 끊겼다.

민연은 폰을 보며 눈물이 나려고 했다.

내 인생에... 내 최애랑 전화를 해보는 날도 오는구나....

"...주민연.... 사회적 약자 인생에서.... 성공했어....? 후후후..."

민연이 혼잣말했다.

2-2.

"맥스의 설국열? 그래. 걔 인기 많잖아? 우리 드라마

단역으로 출연시켜."

작가 이민혜가 말했다.

"...정말요?! 감사합니다!!"

민연이 말했다.

"대신, 걔 대사는 모조리 다 주민연 네가 쓰도록!!"

민혜가 말했다.

"네?!"

민연이 말했다.

"어쩔 수 없잖아? 여기 작가들 다 지쳐서 쓰러지기 일
보 직전이라 다 집으로 갔어.

집에서 술먹고 뻗었다더라. 나도 지쳐서 집가서 술먹
고 뻗을 예정이고.

...여기서 쓸 사람이 주민연씨밖에 더 있어?"

민혜가 말했다.

"아, 알겠습니다!! 그럼, 제가 쓰겠습니다!!"

민연이 말했다.

"후훗. 그래. 잘 해봐~"

민혜가 문을 열고 나가버린다.

...그 작가들 작업실 안에는, 어느 덧 민연 혼자 남아
버렸다.

밤 10시.

혼자서 드라마 단역 대사와 지문들까지 다 쓰느라 진
땀 빼버린 민연은 토가 나오기

일보직전이었다.

"...아우.... 한 달에 얼마 받지도 못하고 이렇게 살아야
하나... 프리랜서인데.... 나는..."

민연이 버스 안에서 앉아서 혼잣말했다.

집 안.

...

"다녀왔습니다."

민연이 인사를 했다.

"....우리 예지~ 얼마 안 있으면 티비 드라마 여주인공
역할 맡는다며?? 축하해~~"

친엄마가 말했다.

...마귀애미다.

"축하한다. 예지야. 하하하."

아빠가 말했다.

..그래도 아빠는 엄마보단 덜한 편이다. 적어도 엄마보
단 말이다.

그래봤자 날 사회적 약자로 보는 건 부모님 둘 다 똑
같지만 말이다.

"...."

내가 말없이 내 방으로 가려고 했다.

그리고....

아무도 날 붙잡지 않았다.

행복해보이는 그들의 모습....

어쩌면 난....

...저주받은 인생 아닐까?

2-3.

아무래도, 안 되겠다. 집을 나와야 살거 같다.

어떻게하면 한 달에 80만 원 되는 월급으로 집을 탈출
할지 궁리를 하고 있는데,

작가들 작업실 안에서 내 앞에 한 뭉치씩이나 되는 서
류가 쌓인다.

쿵-

그 소리에 내가 깜짝 놀랐다.

"...싹 다 수정해 오도록!!"

민혜가 그 말 한마디 하더니 가버렸다.

"예?? 작가님, 작가님!!"

내가 작가님을 애타게 불렀으나 작가님은 뒤도 안 돌
아보고 가버리셨다.

"...동료여... 우리... 찐~한 동료애를 느끼기 위해서...
같이 수정 작업을 해볼까??"

윤지가 말했다.

우리 드라마팀은 총 세 명으로, 메인작가 이민혜, 보조
작가 김윤지, 그리고 나 주민연이다.

그렇게 수정 작업을 세 시간동안이나 해서 마친 후.....

"우엑!!!!"

화장실 변기통을 대차게 붙잡고 토를 하고 있는 중이다....

"...야... 우리 이렇게 한다고 해서 시청률 잘 나온다는 보장 있냐??"

윤지가 말했다.

"휴.... 없지... 당연히...."

민연이 화장실에서 깨끗이 입을 씻고 나온 후 말했다.

"..그럼 우리... 드라마..... 반은 포기할까?"

윤지가 말했다.

"...뭐?? 너 미쳤어?? 민혜 선배님한테 혼나고 싶어??"

민연이 말했다.

"야, 그럼 어떡해~ 우리 내일이면 마감이야. 근데 이렇게 많은 양을 어떻게 다 수정해??"

윤지가 말했다.

"그럼 이대로 그냥 가자고?"

민연이 말했다.

"...그래. 어쩔 수 없잖아~"

윤지가 말했다.

"....혼날텐데??"

민연이 말했다.

"....일단 할 수 있는 데까진 대차게 해보고, 안 되면 포기하고 그냥 가자.
어차피 수정하는 거니깐."

윤지가 말했다.

"....그래."

민연이 말했다.

2-4.

그 시각. 주현길은......

....사회적 강자답게, 열심히, 그리고 힘차게 살고 있었다.

프로듀서, 즉 PD라는 직함에 맞게 말이다.

"...야! 주현길! 이번에 네 여동생 주민연, 드라마 한다며?? 축하한다!!"

자연스럽게 어깨동무를 하며 말을 걸어오는 남자인 친구...

현길에게 사회적 약자인 자신의 여동생 민연은 자신의 아픈 손가락이다.

그래서 생각하고 싶지 않은.

멀리하게 되는.

그런 아픈 손가락 말이다.

"....알게 뭐야. 나 내 여동생 주민연이랑은 안 친해. 주예지랑만 친하지."

현길이 말했다.

"..야~ 그러지 말고~~ 네 여동생이잖아~ 응~?"

남자인 친구가 말했다.

"...아.. 몰라. 꺼져."

현길이 말했다.

"킥킥. 귀여운 새끼."

남자인 친구가 말했다.

2-5.

다음 날 아침.

..아침부터 드라마 촬영은 시작되었다.

.....드라마 촬영 날, 갔는데, 프로듀서인 안 친한 친오
빠 주현길과 마주쳤다.

...우리는 그냥 쌩깠다.

뭐 이리 안 친한 가족도 다 있는지.....;;

드라마 밤샘 작업은 시작 되었고, 우리는 현장에 있으
면서 대본을 고치고, 고치고,

또 고쳐댔다.

.....닳을 때까지 말이다.

그리고 그 고친 대본을 배우들은 외우고, 외우고, 연기
하고, 또 연기했다.

프로듀서와 감독들은 촬영한 작업물들을 끊임없이 모
니터링하며 확인 후 수정, 보완할

점을 작가들에게 발설했다.

....그렇게 며칠 간 집을 오가며 밤샘 작업을 했을까.

드디어 드라마 한 편이 나오게 되었다.

우리는 드라마 반응들을 모니터링하기 시작했다.

"자, 다들 모여봐!! 우리 드라마 반응 모니터링 할거야!!"

작가 작업실 안.

민혜가 말했다.

우리는 각종 SNS를 총집합하여 우리 드라마의 반응들을 캐모으기 시작했다.

우리 드라마의 이름은, <첫사랑>.

[이딴 걸 누가 보냐.]

[요즘 드라마 첫사랑 재밌더라구요.]

[짱!!]

[작가는 절필해라.]

악플과 무플, 선플이 각각 반반씩 되는 이 상황에서....

시청률은.......

......0.8%......가 나와버렸다.

..쪽박 찬 것이다.

다음 날.

촬영장 분위기는 찬 겨울장 분위기가 되어있었다.

다들 1화 시청률을 본 거겠지.

"자. 다들 힘내서 찍자고!! 앞으로 남은 편은 시청률이 잘 나올 수도 있는 거니까!!"

감독님이 말했다.

...하지만 전혀 위로가 안 됐다.

마음 속으로 하 좆됐다...가 연달아서 튀어나오고, 시청

률이 낮아 눈물을 흘리는 배우들을

보니 마음이 너무 아팠다.

....사실은 다 작가들 탓인데....

"....언니. 많이 힘든가 보다?"

드라마 촬영장 뒷 쪽.

이번엔 내 여동생 주예지가 날 불렀다.

"뭐야."

민연이 말했다.

"....그냥. 다음 화에서는 내가 시청률 끌어올릴테니까

너무 걱정 말라고~ 나 천하의 주예지니까."

예지가 말했다.

"...아. 그러셔요."

민연이 말했다.

"흥! 그럼 난 촬영하러 가야해서. 이만."

예지가 말했다.

그리고는 가버렸다.

휴... 저게 자매야, 웬수야.

....생각을 하질 말아야지.

2-6.

"야!! 주민연!! 너 이거 봤어?? 대박이야!! 우리 시청

률... 0.8% 나왔었잖아.

그런데 넷플릭스에서 우리 드라마가 3등 했었대!!"

윤지가 말했다.

"뭐라고??"

내가 회사 컴퓨터 모니터를 뚫어져라 쳐다봤다.

...정말... 이다.

우리 드라마 <첫사랑>이 3등이다.

"...이럴 수가...."

민연이 말했다.

"...야!!! 축하파티하자, 우리!!"

윤지가 말했다.

"아, 여기서 3등하면 뭐해!! 시청률이 0%인데!!!"

민연이 말했다.

"...내가 예상해보건데, 다음 편부터는 시청률 떡락한
다!!"

윤지가 말했다.

"..떡락같은 소리 하네.

...떡락이 아니라 떡상이겠지. 여기서 더 떨어질 시청률
이 어딨어?

곧 드라마 폐지하게 될 수순이구만."

민연이 말했다.

"...말 잘못했다. 떡상. 떡상!! 걱정하지 말라구. 응??"

윤지가 말했다.

...뭔가 김윤지가 믿음이 안갔다.

2-7.

"...성규형. 그게 무슨 말씀이세요. 갑자기 주민연을 가진다니요."

설국열의 목소리다.

민연이 자신의 대본을 들고 그 자리에서 몸을 숨겼다.

"...네가 들은 말 그대로야. 나, 주민연 가지기로 했다."

안성규가 말했다.

아니, 진짜 방송국 놈들 중에는 정상이 없는 거야?!

"...나도 주민연, 못 놓쳐요. 주민연을 가질 수만 있다면, 지금 여자친구들

싹 다 정리할 거예요."

국열이 말했다.

푸다닥...

이런....

대본을 손에서 놓쳤고, 나는 그대로 도망쳤다.

2-8.

휴...

내가 뭘 들은 거지?

안성규라는 프로듀서가 날 가진다고 했고..... 설국열이라는 아이돌 래퍼가 날 가진다고

했다고?

민연이 생각했다.

내 인생에는 왜 이런 일만 있는 거냐고~~!!!

민연이 속으로 울부짖었다.

3화

BGM:로이킴-서울의 달

어느 덧 2화 촬영은 모두 다 끝났고, 모두 다 기진맥진해 있었다.

그리고 대망의 2편이 방영이 되었다.

우리는 각자 집에 들어가 꿀잠을 잤다.

너무 피곤했기 때문에....

다음 날 아침.

[기사 봐봐. 우리 드라마 시청률 3.5% 찍었대!! -윤지]

김윤지로부터 문자가 한 통 와 있었다.

...우리 드라마 <첫사랑>이 시청률 3.5%로 0%대에서 확 뛰었다는 소식이었다.

[이거 정말 우리 꺼 맞아?? -주민연]

[응!! 일단 출근하면 얘기하자. -윤지]

출근해야지.

출근길.

먼저 준비를 다 끝마친 우리 집의 일진들(?) 주현길과 주예지가 같이 걸어가고 있었다.

나는 몰래 없는 척 하며 뒤로 걸어갔다.

절~대 마주치고 싶지 않다 이거지.

조용히 가자. 조용히.....

"언니도 출근하네?"

그런데....

망할 년의 주예지가 뒤돌아보더니 날 불렀다.

저 귀신같은 년... 어떻게 알았대....

발소리도 최대한 안 나게 걸었는데....

".....뭐.... 하하하..."

내가 대충 얼버무렸다.

"우리 먼저 갈테니깐 따라오지 마라."

현길이 말했다.

"...알았다!! 알았어!!"

내가 말했다.

결국 주현길과 주예지는 같이, 나는 혼자 방송국으로 출근했다.

3-1.

그렇게 가족 안에서 왕따 아닌 왕따로 출근을 했는데.....

"짠~~ 우리 가족 축하 파티~~"

김윤지가 케이크를 들고 왔다.

"우리 촬영장 가족 식구들 위해서 준비했어~ 시청률이 0%에서 3%로 확 올랐잖아~

축하 기념 케이크야~"

윤지가 말을 하며 케이크를 민연 앞에 내밀었다.

"...이건 날 왜?...."

민연이 말했다.

"그야, 민연이 너도 많은 고생을 했잖아!! 오늘만큼은
네가 주인공이야!!"

윤지가 말했다.

'오늘만큼은 내가 주인공'

그 말 한마디가 그 동안의 인생을 슬프게 적시는 듯
했다.

사회적 약자 취급을 받으며 살았던 그 동안의 인생이
너무나도 슬프게 느껴져서.

그만.... 주민연은 그 자리에서 청승맞게 눈물을 뚝뚝
흘리고야 말았다.

".....고마워..... 김윤지......."

민연이 울며 말했다.

"..물론! 다른 분들한테도 케이크를 드려야지! 자! 다들
먹읍시다!!"

윤지가 케이크를 탁상 위에 올려놨고, 다들 자리에 앉
았다.

......또 민연 혼자 청승맞게 우는 꼴이 되어버렸다.

3-2.

"아직도 그 집에서 산다고? 너 진짜 질기다, 야.

...너 그러지 말고 내 자취방에서 같이 살래? 우리 집 방 두 칸이야."

윤지가 작가 작업실에서 말했다.

".....진짜? 나는 뭐 다큐멘터리에 나오는 가난한 집만 아니면 돼."

민연이 말했다.

"그래~ 이 참에 우리 집에서 같이 살자!! 그 집에서 나와!! 너 사람 취급도 안 하는데 뭘!!"

윤지가 말했다.

"....그래야겠다... 부모님께 말씀 드려야겠지?"

민연이 말했다.

"야. 너네 부모님이 너 독립한다하면 허락해주시겠냐? 안 그래도 눈엣가시처럼 보는데...

...그냥 몰래 나와~~ 성인이라 찾지도 못할테니까."

윤지가 말했다.

"..알았어!!! 너희 집으로 오늘 퇴근하고 갈게!!"

민연이 말했다.

"정말?? 꺄악!! 너무 신난다!!"

윤지가 말했다.

3-3.

민연이 그 날은 집을 안 들어가고, 윤지네 집에서 잠

을 잤다.

...그리고, 다음 날.

난리가 나있었다.

"계집애야!! 너 친구집에서 자면 잔다고 얘기를 해야될 거 아냐!!"

어떻게 알았는지, 찾아온 마귀애미가 눈물을 퐁퐁 흘리며 말했다.

"......어.... 여긴 어떻게 알고 찾아오셨어요?"

민연이 말했다.

"...네 친구 김윤지랑 연락이 되서 찾아왔다."

아버지가 말했다.

"...엄마, 아빠... 저는... 제 친구랑 사는 게 더 좋구요... 마음이 편해서요....."

민연이 말했다.

"말도 안 되는 소리를!! 너도 오빠랑 여동생 본받으려면 같이 살아야지!!

아직 너 시집 가기 전까진 못 나가!!"

엄마가 말했다.

"그 놈의 오빠랑 여동생 얘기 좀 그만 하세요!! 엄마, 아빠 인생에는 나는 없어요??

나는 투명인간 취급만 하고!!! 내가 무슨 죽은 인간이냐고요!!!

단명 팔자라는 거 그딴 거 난 안 믿어요!! 그러니까 제

발 괴롭히지 좀 마세요!!"

민연이 말하며 문 안으로 들어가 문을 쾅-하고 닫았
다.

3-4.

다음 날.

"언니. 내가 뭐 잘못한 거라도 있어?"

여동생 주예지가 내 앞에 서서 나한테 물었다.

"....아니.... 없는데....."

내가 말했다.

"그런데 왜 집에 안 들어와?"

예지가 말했다.

".....그냥. 들어가기 싫어서 그렇다. 왜?"

민연이 말했다.

"...알았어. 난 그럼 가볼게~"

예지가 가버렸다.

....뭐야....

마음만 싱숭생숭하게 해놓고선 맨날 가버리네.

민연이 생각했다.

3-5.

한 편.

유명 아이돌 래퍼 설국열은 주민연에게 연락을 할까

말까 고민 중이었다.

그러다가 이내 문자를 적어낸다.

띠링-

민연의 문자음이 울린다.

[잠깐 볼래요? -설국열]

으악!!

설국열이다.

민연이 놀라며 가슴을 움켜쥐었다.

3-6.

점심 시간.

한 카페 안.

"...저는 왜 부르셨어요?"

민연이 말했다.

완전무장을 한 국열이 말한다.

"....저요. 그 쪽한테 관심 있어요. 저랑.... 비밀연애 하실래요?"

"..저, 저랑요??? 사회적 약자인 나랑요??"

...단명 팔자라고 어딜 가도 손가락질 받던 나한테 이런 일이??

민연이 생각했다.

"...네. 그런데 많이 힘들 거예요. 저랑 만나려면. 그래도 괜찮으시겠어요?"

국열이 말했다.

"...좋아요... 그래도 한 번 사겨보죠, 뭐!! 사겼다 헤어지면 되니까요!!"

민연이 말했다.

"...좋아요. 그럼 우리 오늘부터 1일?"

국열이 웃으며 말했다.

3-7.

"바빠 죽겠는데 이 시간까지 안 들어오는 작가가 도대체 누구야!!"

유명 방송 작가 이민혜가 말했다.

"..아... 그게.... 걔가 누굴 만나러 갈 사람이 있는지..."

윤지가 말했다.

윤지 혼자 작업을 하고 있었다.

".....후.. 이래선 진도가 안 나가잖아!! 진도가!! 당장 잡아 와!!"

민혜가 말했다.

"....아.... 옙!!!"

윤지가 말했다.

뚜르르-

윤지 전화다.

"..왜?"-민연

"어디냐? 기지배야?"-윤지

"...나? 카페..."-민연

"...빨리 들어 와!! 민혜작가님 화나셨어. 너 안 온다고."-윤지

"..아직 점심 시간 끝나려면 한참 남았는데??"-민연

"....어쨌든 빨리 들어 와. 나 끊는다."-윤지

전화가 끊겼다.

"....아... 나 작업하러 가야겠다. 미안해."

내가 자리에서 일어났다.

"....어디에서 작업해? 내가 찾아갈게."

국열이 말했다.

"....아... 나 생각해보니까..... 아이돌과 연애하는 건... 좀 아닌 것 같아.

.....미안해. 나 말고 다른 여자 찾아 봐. 그냥 너랑은 팬만 할래."

내가 말했다.

"...사귄지 하루만에 헤어졌네? 우리."

국열이 말했다.

"...미안해."

내가 자리에서 일어나 뛰어갔다.

3-8.

마주쳤다.

새끈하고 잘생긴 안성규라는 피디님을 말이다.

"...안녕하세요."

내가 인사했다.

"....그 쪽..... 내가 좋아하는 것 같은데."

성규가 말했다.

".....저는 일이랑 연애를 하기 때문에....."

내가 말했다.

"....그럼... 시간을 좀 줄래요? 그 쪽으로 흘러들어갈 시간이요."

성규가 싱긋 웃으며 말했다.

그 모습도 얼마나 새끈하고 잘생겼는지, 침이 줄줄 나온다.

피디가 아니라 연예인을 했어야 하는 거 아니야?!

민연이 생각했다.

"....아... 네..... 전 이만... 일을 하러 가야해서!! 다음에 봬요!!!"

민연이 말하고 뛰어갔다.

3-9.

"우리 점심 시간에도 원래 글쓰는 작업하는 거였어요?"

민연이 말했다.

"...아, 그게... 오늘은 민혜작가님이 많이 예민하셔서 그러셨대.

이해해줘."

윤지가 말했다.

"...그나저나... 우리.... 드라마 끝나면... 다 뿔뿔이 흩어지겠네?"

민연이 말했다.

...내 말에 윤지가 토라졌다.

"...야. 그래도 너 우리 집에 전세 냈잖아~ 월세는 언제 줄건데??"

윤지가 말했다.

"...맞다. 우리 같이 살고 있지."

민연이 말했다.

".......지금 너네 집은 초상집 분위기겠다."

갑자기 윤지가 알 수 없는 말을 했다.

"...응? 왜?"

민연이 말했다.

"....아무 것도 아니야. 자, 다시 작업하자!!!"

윤지가 말했다.

"..아, 응.."

민연이 말했다.

3-10.

현재.

민연의 집 안.

윤지의 말대로 초상집 분위기이다.

"....우리가 민연이한테 너무 잘못한거겠죠? 여보..."

민연 엄마가 민연 아빠에게 말했다.

".....많이 잘못했지. 그 애한테 미안하네."

민연 아빠가 말했다.

"....어딜 가나 단명 팔자라는 얘길 듣는 그 애가, 나는 미웠어요, 여보...

그딴 거 믿지도 않았지만, 애가 어딘가 모자라보이고, 그럴 때면....

유전자도 오빠한테 다 몰빵되고, 여동생이 꽤 많이 가져가고, 좋은 유전자는 다 걔들만

물려받고, 민연이는 유전자도 나쁜 유전자만 물려받았잖아요.

그래서... 그 애만 보면 속상하고, 죽을까봐 무서워서 그랬어요... 여보.....

휴......"

민연 엄마가 눈물을 훔치며 말했다.

"....뭘 그런 거 가지고 울고 그래.

.....민연이도 어엿한 성인이야. 우리가 싫으면 떠나야지."

민연 아빠가 말했다.

"....그러지 말고, 우리 딸 잡아와요. 여보. 어쩔 수 없잖아. 나 걱정되서 미치겠어."

민연 엄마가 말했다.

......그리하여, 친구와 함께 동거하던 주민연은 동거한 지 약 이틀 만에 집 안으로 잡혀들어

오고 말았다.

".....민연아. 엄마가 잘할 테니까... 아제 가출하지 말자. 응?"

엄마가 무릎을 꿇으며 빌었다.

....난생 처음으로.

..날 투명인간 취급했던 엄마가 말이다.

"....생각 좀 해보고. 나 들어가서 쉴게."

밤 중에 경찰들에 의해서 연행되어 집으로 들어오게 된 민연이 방으로 들어가 문을 쾅-하고 닫았다.

3-11.

이제는 좋아하는 연예인도, 아이돌도 없다.

...이제는, 완전히 자유다.

.....머글의 삶이라는 게 이런 걸까.

....신이 난다는 거지, 한 마디로.

지하철에서 잡지책이나 하나 읽고 있는데,

...옆에 누군가가 기댄다.

......성규오빠다.

"....무... 무슨 일이세요."

민연이 말했다.

"....그냥. 네 생각 나서 보러왔어-."

성규가 말했다.

"......아... 그러세요."

민연이 말했다.

"...너랑 결혼하고 싶다. 민연아."

성규가 말했다.

"...네?!?!?"

그 말에 민연의 동공이 커졌다.

"..큭큭. 농담 아니야!!!"

성규가 말했다.

"...그런 말을 사귀지도 않는 상태에서 갑자기 해버리시면 저는 어떻게 반응을 해야할지..."

민연이 말했다.

"...걱정 하지 마!!! 앞으로 무슨 일이 생겨도, 다 나 안성규가 지켜줄테니까-."

성규가 말했다.

...하찮게 연예인 덕질을 했을 때에도,

연예인에게 무시를 당했을 때에도,

느껴보지 못했던 따뜻한 감정이었다.

그래서 이런 따뜻한 감정을 나눠주는 이 사람을 나는 너무 사랑한다.

...정말. 너무도 말이다.

"...고마워요. 안성규씨-."

민연이 말했다.

....내 거지같은 삶에 한줄기 빛이 되어줘서.

............정말로 고마워요. 안성규씨.

........라고 생각하는 민연이었다.

*

4화

BGM:악동뮤지션-라면인건가

오늘은 한적한 토요일 아침이다.

..민연이 기지개를 켜며 침대 위에서 일어났다.

...친구네 집으로 동거를 시도했지만 걸려서 끌려들어 온지 하루 째.

시집을 가지 않는 이상은 이 집에서 벗어날 수가 없다는 건데...

...악~~ 생각만 해도 끔찍하다....

민연이 아침부터 머리카락을 쥐어뜯으며 침대에서 떨어졌다.

쿵!

그러자 방문을 열고 들어오는 친오빠 놈 하나.

"......뭐야. 칠칠맞게 침대 위에서 굴러떨어졌냐?

...천하의 바보 납셨네."

주현길이 말했다.

"...아!! 오빠가 뭔 상관인데!! 얼른 나가셔??"

민연이 말했다.

"...살아있나 구경하러 와도 지랄이야. 간다."

현길이 문을 닫고 가버렸다.

...어휴.... 여배우들 스폰해주고 다니는 더러운 남창새끼....

수명이 길면 뭐해... 남창인걸....

민연이 방문을 열고 밖으로 나갔다.

"....일어나셨어요."

민연이 부모님께 인사를 했다.

"...어머~~ 예지야~~ 이 옷 너무 잘 어울린다~ 널 위해서 비싼 옷 특별히

사온 거야~~ 역시 우리 딸이라 그런지 너무 잘어울려~~"

엄마가 또 시작됐다.

...친여동생과 친오빠를 향한 편애.

내 인사는 가볍게 씹은 엄마와 아빠를 지나쳐 부엌으로 가려는데, 아빠가 말한다.

"....민연아, 일어났구나?"

아빠의 그 말에 내 코가 괜히 시큰해졌다.

....집에서 유일하게 그나마 내 편을 들어주는 사람은 아빠밖에 없다.

"...네...."

나는 아빠한테 대충 대답을 해주고선 부엌으로 들어갔다.

....집에는 먹을 게 많았지만, 막상 먹고 싶은 게 없었다.

그래서 대충 씨리얼을 먹고, 부엌을 나왔다.

엄마 덕에 한껏 화려하게 꾸민 주예지가 부모님과 앉아서 차를 마시고 있었다.

나는 그들을 지나쳐 내 방으로 다시 왔다.

그들이 나를 보기 전에 말이다.

...어쩌면 나는, 친딸이 아니라, 양딸일지도 모른다.

...친부모님, 친형제자매와 같이 사는 게 아니라, 양부모님과 양형제자매와 사는 건지도 모른다.

.....이런 생각에까지 미치자, 지금까지의 인생이 파노라마처럼 지나갔다.

...차라리 친척집에 맡겨지는 게 나을 것 같았던 지난 인생들이.....

띠리리-

전화다.

...김윤지다.

"여보세요?"-민연

"기지배야!! 뭐하냐?? 집에서 나와!! 너 그 집에 있다간 정신병 걸려!!

너 시집 가기 전까진 그 콩가루 집안에서 계속 붙들려 있어야 된다며!!"-윤지

"....아....윤지야...."-민연

"...얼른 챙겨입고 나와라 잉??? 너희 집 앞 편의점에서 기다릴게!!"-윤지

뚝-

전화가 끊겼다.

내 인생에서 그나마 나은 사람 삼인방.

아빠, 그리고 내 유일한 친구 윤지, 나에게 잘 대해주는 안성규오빠.

...이 사람들이 언제 바뀔 지는 모르겠지만.

현재는 그나마 내 인생에 나은 삼인방이다.

4-1.

나는 대충 옷을 걸쳐입고 집 앞 편의점으로 갔다.

아니나 다를까, 김윤지가 아무렇게나 아메리카노를 쪽쪽 빨며 날 기다리고 있었다.

"...여!! 왔네!! 불쌍한 신데렐라!!"

윤지가 말했다.

그러자 난 눈물이 눈에서 뚝뚝 흘러내렸다.

"야!! 너 울어?? 왜 울어!!"

그러자 윤지가 당황하며 내게 다가와 내 등을 토닥인다.

4-2.

"..그래서, 네가 너희 집에서 양딸인 거 같다고?? 푸하

하!! 그건 아니지!!

그냥 너네 집이 이상한 거 뿐이야!!"

윤지가 편의점 앞 의자에 앉아 배꼽 잡고 웃으며 말했다.

"...너희 집은 어떤데? 윤지야."

내가 윤지에게 물었다.

"...나? 그냥 사이 좋지. 친엄마 아빠랑, 친남동생 있는데. 다같이 사이 좋아."

윤지가 말했다.

다 먹고 남은 아메리카노를 쪽쪽 빨며.

"...아무래도 우리 엄마가 나 단명팔자라고 여러 군데서 들은 거 가지고 그러는 거 같아."

민연이 말했다.

"...푸하하하하!!! 야!! 넌 그걸 믿냐??? 아니, 설사 그래도 넌 안 죽어!!

운빨이 얼마나 좋은데!! 주민연이!!"

윤지가 말했다.

"....그런가??"

민연이 머쓱해하며 말했다.

"...그렇지!! 그래도 내 친구가 그딴 취급 받으며 집에서 사는 모습을 보니 안쓰럽긴 하다, 야...

...그래도 어떡하겠냐. 내가 도움 줄 수 있는 건 이제 다 했고.... 더 이상은 도움 줄 수 있는 게

없는데...."

윤지가 씁쓸해하며 말했다.

"내 월급 80만 원으로 독립하는 건 무리겠지?!"

민연이 말했다.

"...응. 절대 무리. 그 돈으론... 월세도 못 내. 너 그 다큐멘터리에 나오는 벌레 나오고

거지같은 집에서 살아야 될 걸? 킥킥킥."

윤지가 말했다.

"...아, 그럼 어쩌라구~!!"

민연이 머리를 쥐어뜯으며 말했다.

".....그냥 모든 걸 다 내려 놔~~ 언젠가는 시집가면 널 놓아주겠지...."

윤지가 말했다.

"...휴.... 시집 갈 돈도, 남자도 없다, 야..."

민연이 말했다.

"....나도 없다, 야~~"

윤지가 말했다.

4-3.

오후 8시까지 윤지랑 카페-영화관-코인노래방에서 하루 종일 놀다가 집에 와서 뻗었다.

벌컥-

누군가가 방문을 벌컥 열었다.

아빠인 줄 알고 쳐다봤다.

....주예지다.

"....뭐냐?"

내가 물었다.

"..하나밖에 없는 여동생보고 뭐냐?라니? 오늘 하루종일 어디 갔다왔어?"

예지가 물었다.

"....오늘 하루종일 내 친구랑 놀다왔다. 왜??"

내가 말했다.

"...언니가 친구도 있었어??? 의외네..... 없어보였는데....

알겠어. 난 간다~"

예지가 말했다.

....오늘도 주예지 저 년은 내 속을 벅벅 긁어놓고선 달아나버린다.

"...어휴~~!!! 어째 우리 집이랑 내 주변에는 정상이 없어, 정상이~!!!!"

내가 침대 위에서 우리 집 치이카와 쿠션을 손톱으로 벅벅 긁은 후에 치이카와한테

미안해서 꼬옥 안았다.

"...쟤들이 아무리 날 괴롭혀도 치이카와 넌 살아남아야 해.... 굳세게... 알았지...?"

백설기처럼 하얗디 하얀 치이카와가 주민연을 보고 비

웃는 듯 했다.

4-4.

다음 날.

다음 날에는 윤지와 간간히 전화만 하고 만나진 않았
다.

...윤지도 피곤하고, 나도 피곤하다는 이유였다.

하루종일 잠만 자려고 침대에 꼭 붙어있는데, 누군가
가 또 민연의 방문을 벌컥- 연다.

"야!! 주민연!! 일어나!! 오늘 가족여행 간대!!"

제기랄.

....친오빠 놈의 목소리이다.

"아... 무슨 내일 출근해야 되는데 가족여행이야!!"

내가 짜증을 내며 말했다.

"...가기 싫음 너만 가지 말던가?"

친오빠가 말했다.

"....나만 안 가도 돼??"

민연이 말했다.

"......너만 안 가면 엄마가 널 가만히 놔두지 않을 텐
데??"

현길이 말했다.

"....아, 알았어!! 가면 되잖아!! 가면!! 아!! 사진 찍기
싫은데!!

나이 다 처먹고 무슨 가족여행에 사진이야!! 시집 장가
갈 나이에!!"

민연이 말했다.

그 말에 현길의 표정이 싹 굳어져서 말한다.

"......주민연.... 우리 가족 중에 네 편은 아무도 없단
걸 잊지 마......

...넌 우리에게 절대 복종해야만 하는 거야.

....우리 아빠도 다 우리 편이야. 알겠어?!"

현길이 말하더니 문을 닫고 쏙 나가버린다.

"어휴.... 난 이 집에서 양딸이지!! 양딸이야!! 그냥!!!
뭐 이런 집안이 다 있어!!"

민연이 한숨을 내쉬며 화장실로 들어가서 씻었다.

.....오늘도 사회적 약자 취급을 받아야 한다.

"...사회적 약자 우리 딸 왔어?? 어휴, 옷 매무새가 이
게 뭐니??

당장 가서 옷 갈아입고 와라!!"

마귀애미가 민연보고 말했다.

"...아... 그게..."

민연이 말했다.

"...예지는 이 사과 좀 한 입 더 먹어보렴~ 아~"

엄마가 민연의 말을 개무시하고선 예지에게 사과 한
조각을 먹여주기 시작했다.

.......오늘도 사회적 약자 취급이지.

...제기랄. 진짜 사회적 약자라 할 말도 없고.

그 놈의 단명팔자. 그게 뭐라고!!!!

4-5.

가족여행을 가기 시작했다.

가족 여행을 가는 곳은. 경주.

...수학여행의 종착역으로 많이 꼽히는 그 곳.

가족 여행을 가는 도중에 나는 한 마디도 못했다.

...말 할 가족이 없어서.....

..제기랄. 이럴 거면 왜 온 거냐고~!!

민연이 속으로 울부짖었다.

4-6.

우리는 경주에서 사진도 멋지게 찍고, 가족사진도 열심히 찍고,

맛있는 것도 열심히 먹은 후에야 집에 올 수 있었다.

....밤 9시가 되서야 말이다.

"너~무 즐거웠다~~ 그렇지~?? 현길아, 예지야~~ 그리고 여보~~"

또 시작이다.

나만 투명인간 취급하는 엄마의 말에 나는 그만 헛웃음이 나왔다.

엄마는 내가 죽길 바라시죠.

그래서 이러시는 거죠. 네???

민연이 속으로 하고싶은 말을 꾹 삼켰다.

...여기서 이런 말을 했다가는 나만 병신될 게 뻔하다.

나는 말없이 방 안으로 들어갔다.

...가족 중에서 왕따 당하는 설움을 아는가?

.......말하지 못하게 슬프다.

벌컥-

눈물을 바닥에 주저앉아서 퐁퐁퐁 흘리고 있는데, 누군가가 노크도 없이 방문을 벌컥-하고 연다.

"....누구세요...."

내가 쳐다보지도 않고 말했다.

.....아빠인가?

".......뭐야. 울어?"

...목소리를 들어보니, 주예지다.

...공주대접 받는 우리 집의 막내 공주, 주예지.

"...아, 주예지 네가 뭘 상관인데."

내가 말했다.

"....아니, 뭐 상관은 없는데.... 좀 불쌍해서.... 자라~"

예지가 말하더니 문을 쾅-하고 닫고 나가버렸다.

"....언니라고도 안 부르고 저 년은!!! 에휴!!!!"

내가 눈물을 훔치며 혼잣말했다.

이 콩가루 집안(?)에서 내가 살아날 구멍이 있기나 할까.....

4-7.

다음 날.

출근길.

"우리 예~쁜 현길이~~ 예지~~ 잘 갔다 와~~ 사랑해~~"

친엄마가 현길과 예지의 출근길을 맞이하며 말했다.

그리고 민연이 출근을 하려하자, 무슨 똥을 보는 듯한 표정으로 말한다.

"어휴!! 넌 뭐니?? 빨리 가라!! 냄새 나는 거 같아!!"

마귀애미.....

...난 그래서 엄마가 정말 정말 싫어!!

"허허허..... 민연이도 잘 갔다 오렴~"

아빠가 손을 흔들며 말했다.

...역시 그나마 유일한 내 편....

아빠밖에 없다.

나는 괜히 또 코 끝이 찡해지는 듯한 기분을 느끼며 아빠에게 손을 흔들었다.

아빠... 내가 돈 많이 벌면.... 아빠한테만 그나마 잘 해드릴게요.

쿵........

4-8.

작가 작업실 안.

...작업실에 출근 하자마자, 김윤지가 피곤함에 쩔어 의
자에 뻗어있었다.

"...야... 뭐냐??"

내가 물었다.

띠리리-

전화다.

안성규...??

성규오빠다.

큼큼-

목소리를 다듬고....

전화를 받았다.

"..여보세요?"-민연

"...민연아. 잘 지냈어?? 오빠야."-성규

"네!! 피디님!!"-민연

"하하하. 말 편하게 놓고. 성규오빠라고 불러."-성규

"...응!! 성규오빠!!"-민연

"..하하하. 밝아보여서 좋다. 오늘 시간 나면 만날
래??"-성규

"네!! 좋아요!! 어디서 볼까요??"-민연

"..오늘 점심 같이 먹자!! 신포우리만두에서 만두 먹는
거 어때??"-성규

"좋아요!!"-민연

"그래!! 그럼 오늘 점심에 보자!!"-성규

"네!!"-민연

뚝.

전화가 끊겼다.

아싸...

이게 뭔 횡재냐!!!

"...뭐야... 너 데이트 잡혔냐??"

윤지가 어느 새 일어나 말했다.

"...아. 아니거든!! 그냥 노는 거거든!!"

민연이 말했다.

"남녀사이에 그냥 노는 게 어딨어. 데이트지."

윤지가 말했다.

"...후후후... 그렇다고 할 수도 있겠지..!!"

민연이 말했다.

민연의 얼굴이 빨개졌다.

"너 요즘 가족이랑은 사이 좋아??"

윤지가 말했다.

"...아니.. 오늘도 마귀애미가 나 말고 오빠랑 여동생
사랑한다고 하고

나보고는 빨리 꺼지랜다..."

내가 말했다.

"...휴.... 너희 엄마는 항상 똑같으시구나."

윤지가 한숨을 내쉬며 말했다.

"....야!! 그나저나 우리 드라마 반응 대박 터졌어!! 인

터넷 봤냐??"

윤지가 말했다.

"...정말??"

민연이 말했다.

[드라마 대박!!]

[사랑해요~~]

"뭐야... 진짜 대박 났네...."

민연이 말했다.

...어쩌면 우리.....

드라마 끝날 때쯤엔 진짜 유종의 미를 거둘 수도 있을
것 같다.....

5화

BGM:린(LYn)-자기야 여보야 사랑아

우리의 드라마는 총 16부작.

3편을 쓸 차례다.

우리는 파트를 나누어 써재꼈다.

완전히 녹초가 된 시간은 점심 시간이었다.

"....나 점심 안 먹을래.... 토할 것 같아...."

윤지가 말했다.

민혜작가님은 점심을 먹으러 나가셨고, 우리는 작업실
안에서

의자에 앉아 뒹굴거리며 점심을 안 먹겠다며 한탄을

했다.

"그러고 보니, 너 오늘 안성규 피디님이랑 점심 약속 있지 않았냐?"

윤지가 말했다.

"아 참!! 맞다!! 그랬지!! 난 가볼게!!"

그 말에 민연이 벌떡 일어났다.

"..쳇... 나만 또 혼자네... 난 오늘 점심 굶을래... 잘 갔다 와~~"

윤지가 말했다.

5-1.

신포우리만두집 안.

유난히 부끄부끄한 내 모습이 성규PD님에게 보일까 봐 부끄럽다.

"..뭐 잘 못 먹었어요? 볼이 빨간데?"

성규가 말했다.

"아, 아니에요!!"

민연이 말했다.

"자. 맛있게 드세요~"

드디어 만두가 나왔다.

"...후후.... 아~"

성규가 젓가락에 만두를 한껏 쥐더니 민연의 입에 갖다댔다.

"....아이, 여기서 이러시면.... 아~~~!!!"

민연이 주저하더니 입을 한껏 벌려 성규가 주는 만두를 먹는다.

"....후후. 아주 귀엽네요. 민연씨는요."

성규가 만족스럽다는 듯 씨익 웃으며 말했다.

오물오물 먹는 민연이 말한다.

"....그런가요??"

"이번엔 날 먹여줘봐요."

성규가 말했다.

"....그, 그건..... 아... 알겠어요....... 성규씨.... 아~~"

민연이 젓가락으로 만두를 집어 성규의 입에 갖다대자, 성규가 먹었다.

"..음!!! 맛있네요. 고마워요, 민연씨."

성규가 말했다.

5-2.

"....오늘 어땠어요? 재밌었어요?"

만두집을 나온 후.

성규가 민연에게 물었다.

'네!! 완전 최고였죠!!'

라고 말하고 싶었던 민연이었지만, 하지 못했다.

"...조, 좋았습니다!!"

민연이 말했다.

"....후후. 그럼 우리 다음에도 또 데이트 같이 해요?"

성규가 말했다.

"네? 데이트요?? 성규PD님..!! 그게 무슨 말씀이세요!!"

그러나 안성규는 들어가버렸다.

민연이 성규와 데이트라는 말에 좋아하고 있는데, 주예지가 나타난다.

"....에휴, 좋댄다."

예지가 말했다.

"..넌 또 뭐냐?"

민연이 말했다.

"....성규PD님 너무 좋아하지 마. 주변에 여자들이 째고 쌨으니까.

주변에 남자 따위 없는 언니랑은 차원이 틀리다구."

예지가 말했다.

"...아. 그러셔?"

민연이 말했다.

".....언니를 슬픔의 구렁텅이로 밀어넣을 거야. 그럼 난 간다."

예지가 말했다.

이미 슬픔의 구렁텅이로 밀어넣는 것은 우리 가족이걸랑??

그런데....

왠지 주예지의 말이 맞는 것 같은 예감은....

뭘까??

"....에잇... 재수없는 주예지...."

민연이 혼잣말했다.

멀리로 가 없어진 주예지의 등짝에다대고 말이다.

5-3.

그리고 우리는 최선을 다해 3편을 뽑아냈다.

......드라마의 반응을 살펴보기도 전에 알게된 소식은, 안성규PD님이 다른 어떤

여자와 결혼했다는 소식이었다.

난 그 소식에 가슴이 쿵하고 떨어졌다.

난 하염없이 울고 있는데, 옆에서 윤지가 다독여줬다.

"...후.... 어쩌냐..... 방송계 놈들이 다 나쁜 놈들 천지인 걸.... 너무 슬퍼마라..."

윤지가 말했다.

...이로써 못난 내게는 남자가 한 명도 없어지고 말았다.

...뭐 이런 말도 안 되는 상황이 다 있는지,

...알다가도 모를 일이다.

5-4.

치이카와처럼 하얀 우윳빛 피부에 갈색 눈동자, 갈색 머리카락에,

잘생긴 눈코입을 가진 그는, 천재 프로게이머다.

이름은 이 진.

주예지와 같은 25살이다.

그는 오늘도 게임 방송을 마치고 1등의 성적을 거머쥐고 나왔다.

5-5.

오늘도 야근을 하고 버스에 올라탔는데, 옆자리에 앉은 남자가 신경쓰인다.

자리를 다른 데 앉을까.

아... 귀찮잖아.

...결국 못난이 주민연은 포기하고 만다.

"저기요."

옆자리에 앉은 남자가 말을 걸었다.

"네?!"

민연이 놀라 말했다.

"....그 쪽이요. 번호 좀 주실래요."

진의 말에 민연이 깜짝 놀라 말한다.

"....제 전화번호를요?!"

민연이 말했다.

민연의 못난이 인생에.. 이런 일이 있었던가.

그의 갈색 눈동자와 갈색 머리카락이 신비롭게 보였다.

마침 남자도 없겠다. 주민연은 냅다 그 이 진이라는 남자한테 번호를 줘버렸다.

"...큭. 내가 누군진 아세요?"

진이 말했다.

...뭐지. 저 기분 나쁜 웃음은.

"...모르는데요."

민연이 말했다.

".....저는요. '하늘을 날다'라는 게임의 프로게이머 이 진이라고 합니다."

진이 말했다.

프로게이머가 이렇게 예뻐?!?! 남자가 이렇게 예뻐?!?!!?

세상에는 어메이징한 게 많구나...

하긴.... 얼마 전까진 신포우리만두집에서 서로를 먹여주며 행복해하던

안성규오빠가 갑자기 결혼한 걸 생각하면....

.....큥......

그 생각을 하자, 민연이 갑자기 슬퍼져서 코를 큥큥 댔다.

"...그 쪽요. 그렇게 못난이는 아니에요."

진이 말했다.

"....네??"

민연이 놀라며 말했다.

"....그렇게 못나지는 않았다구요. 그러니까 힘내요."

진이 말했다.

".....폰번호 교환할까요? 저 이제 곧 내려야되가지고."

진이 말했다.

그렇게 서로 폰번호를 교환하고.....

"...저는 그럼 가봅니다! 연락할게요!"

진이 내렸다.

이건...

아마.....

신이 내린 축복일 거야....

암....

그렇지 않고서야......

프로게이머 남자가 내 인생에 나타날 수가 없어.....

5-6.

다음 날.

"뭐?! 프로게이머 이 진?! 너 대박났다, 야!! 걔 게임해서 돈 엄청 많이 벌었잖아!!"

윤지가 출근하자마자 날 반겼다.

"....몰라. 폰 번호 교환했는데...."

민연이 말했다.

"....대박났다, 너!!!! 걔 게임으로 돈 벌어서 돈 엄청 벌었어!!! 람보르기니인가?

그거 타고 다닌다던데.... 게임 방송도 매마다 출연하고!!!! 티비키면 맨날 나오잖아!!!!
대박이다, 야!!!!!"

윤지가 말했다.

"뭐... 잘생기긴 했던데....."

민연이 말했다.

"....잘생긴게 문제가 아니라니까, 기지배야!!! 걔 돈 열라 많다고!!!
여친도 맨날 바뀐다고!!!!"

윤지가 말했다.

"....여친도 맨날 바뀌면...... 난 왜 준거지..... 번호를...."

민연이 말했다.

"....그... 그건..... 그래도... 네가 비집고 들어갈 틈이 있나보지!!!"

윤지가 말했다.

"....휴...."

"그나저나...... 너 요즘 가족들이랑은... 아직도 사이 안 좋냐?..."

윤지가 말했다.

"....말도 마. 오늘도 주현길이랑 주예지랑 따로 멀리 떨어져서 왔다.
마귀애미는 오늘도 주현길이랑 주예지만 편애하고. 그

나마 아버지만 편들어주고..."

민연이 말했다.

"....어휴.... 딱해라...."

윤지가 말했다.

".....나 진짜 그냥 중매봐서 결혼해버릴까??"

민연이 말했다.

"....뭐... 너도 꾸미면 예쁠 것 같긴 해. 꾸미고 중매 많이 나가 봐!!!

아... 근데 너 중매시장 나갈 돈이 없지 않냐?? 집에서도 돈 한 푼도 안주잖아."

윤지가 말했다.

".......그것도 그러네. 아~~ 나 어떡하냐~~"

민연이 말했다.

"뭔 얘기를 그렇게 해? 우리 벌써 4편 째야."

민혜작가가 서류 한 뭉치를 들고 오며 말했다.

".....이걸 다 쓰셨어요??"

윤지가 말했다.

".....이거 다 쓰는게 무슨 대수니. 어쨌든 너희들은 빨리 다 수정해!!"

민혜가 말했다.

"우리 작가님 최고!!"

윤지가 말했다.

"작가님 최고~!!"

민연도 거들었다.

"......그럼 가본다."

민혜작가가 나가버렸다.

"휴.... 우리 이걸 언제 다 수정하지?"

민연이 말했다.

"...몰라... 언젠간 다 되겠지~"

윤지가 말했다.

5-7.

띠리리-

전화다.

[바쁜 관계로 메시지로 남겨주시면 나중에 연락 드리
겠습니다. -민연]

간신히...

쉬는 시간.

진에게 문자가 와 있었다.

[뭐 해요? -진]

"야!!! 너 대박이다!! 빨리 답장해!!! 빨리 얘 잡아!!!"

윤지가 콧바람을 킁킁 흥분한 듯 내뿜으며 말했다.

"뭐... 뭐라고 보내야 할까?"

민연이 말했다.

"너 생각나는 대로 보내!! 너 작가잖아!!! 주민연!!!"

윤지가 말했다.

[저.... 대본 작업하고 있었습니다. 죄송해요. 전화 못받아서요. -민연]

"보... 보냈다."

민연이 말했다.

"야~~ 너 땡 잡았다, 야~~ 역시 신데렐라 인생은 바뀌지 않는 구나~"

윤지가 말했다.

"아하하..."

민연이 말했다.

[지금 내가 갈게. 민연 누나. -진]

뭐... 뭐라고?

지금 온다고?

우리 작업해야되는데?

5-8.

진짜로....

그 유명한 천재 프로게이머 이 진이 우리 작가 작업실에 왔다.

".....차 한 잔으로 대접이 될 지....."

윤지가 말을 하며 차 한 잔을 대접했다.

"...아. 고맙습니다."

진이 말했다.

이 쌩뚱맞은 스토리에(?) 민연은 그만 넋이 나가 입을 멍하니 벌렸다.

"...야. 입 닫아. 이 진 앞이다...."

윤지가 속닥속닥 민연에게 말하자, 민연이 입을 닫았
다.

"호호호. 저희가, 일이 바빠서..... 의자에 앉아 계실 수
있으세요?"

윤지가 말했다.

윤지의 말에 진이 의자에 앉아 일을 하는 민연을 뚫어
져라 쳐다봤다.

...아니.... 쟤는... 일도 없나.....

왜 갑자기 찾아와서 난리지...??

아냐.... 생각하지 말자.....

.....괜히 말했다간 안좋은 취급만 받을 게 뻔해.....

민연은 신경 끄고 열심히 수정 작업을 했다.

그리고 3시간 뒤....

".....으아악~~~ 다 끝났다~~~"

윤지가 기지개를 켜며 말했다.

"나도 다 끝났다!!"

민연이 말했다.

"...으악!!!!"

민연과 진이 눈이 마주치자, 민연이 의자에서 떨어졌
다.

"3시간 동안 보고 계셨어요????"

민연이 말했다.

"....응. 그러면 안 돼???"

진이 말했다.

난 어쩌면....

지독한 고질병에.....

걸려들은 건지도 모른다....

6화

BGM:린(LYn)-...사랑했잖아...

다음 날 아침.

"일어나셨어요..."

일어나자마자 부모에게 인사를 했는데, 돌아오는 반응은 역시....

"어머~~ 현길아~ 오늘 수트핏 죽인다~~ 어쩜 내 아들답니~~"

마귀애미의 지 아들 자랑이냐...

난 씻으러 화장실로 들어갔다.

대충 씻고 나온 뒤.

"예지야~~ 아침밥은 꼭꼭 먹고 다니자~~"

마귀애미가 예지에게 말했다.

"넌 아침밥 먹지 마!! 이미 돼지인데 더 돼지된다!!!"

마귀애미가 무서운 표정으로 나한테 말했다.

피식.

.....먹으라해도 안 먹네요. 이 사람아.

그대로 출근을 했다.

"잘 갔다 와~~ 현길아~ 예지야~ 사랑해~~"

...오늘도 마귀애미는 오빠와 여동생편만 든다.

"...허허.... 민연이도 잘 갔다와~"

옆에서 아빠가 말했다.

쿵....

역시 그나마 내 편 들어주는 사람은 아빠 밖에 없다.

저 멀리 앞에 주현길과 주예지 걸어가고, 난 뒤에서 살금살금

그들이 콩처럼 작아지게끔 걸어가고 있는데, 그 고급 자동차라는

람보르기니가 딱 선다.

"으아악!! 뭐야!!"

내 인생에 이런 적이 있었던가.

민연이 놀란 소리를 냈는데,

그 차 안에서 한 사람이 내린다.

.....이 진이다.

"...뭐야 넌.... 이 진??"

그러자, 주현길과 주예지가 멀리서 뒤 돌아보는 게 다 보인다.

"이.. 일단 숨자."

진과 나는 일단 람보르기니 뒤에 얼른 숨었다.

그리고는 나를 쫓아오나 구경해봤지만 주현길과 주예
지는 가버리고 없었다.

"....휴..... 다행이다......"

민연이 혼잣말했다.

"뭐가 다행인데?"

진이 말했다.

"아빠야!!"

민연이 소리쳤다.

"큭큭. 놀랄 때 보통 엄마야!!라고 하는데 누나는 아빠
야!!라고 하네?

혹시 집에서 왕따 당해? 그거 가정폭력인데."

진이 말했다.

"....나 가족 중에서 왕따야..... 가정폭력인지도 몰랐
네..."

민연이 말했다.

".....흠.... 그럼 우리 도망 가자."

진이 싱긋 웃으며 말했다.

"....어디로??"

민연이 말했다.

"어디든 좋아."

진이 말했다.

"....잡혀들어올텐데??"

민연이 말했다.

"집에서 나갈 수 있는 조건이 뭐야?"

진이 말했다.

".....내가 시집가면 나갈 수 있게 해준대.."

민연이 말했다.

"난 아직 장가 들 마음은 없는데... 계약결혼 할 마음도 없고..."

진이 말했다.

"....에헤이, 그럼 나보고 뭐 어쩌라고??!"

민연이 말했다.

그러자 치이카와처럼 귀여운 진이 싱긋- 웃으며 말한다.

"....어쩔 수 없지, 뭐!"

6-1.

작가 작업실 안.

진은 게임 방송 출연하러 가버리고, 민연이 작가 작업실로 왔는데,

어찌 된 게... 초상집 분위기다.

".....분위기가 왜 이래?"

민연이 물었다.

"....민연아.... 우리 드라마 조연 여배우.......

.....스폰이 너무 많아서 힘들어서 자살했대....."

윤지가 말했다.

"....뭐?....."

민연이 말했다.

윤지의 말에 민혜작가가 담배를 아무렇게나 꼬나물고 선 밖으로 나가버린다.

쾅-.

어느 새 작가 작업실 안에는 김윤지와 주민연 밖에 남지 않았다.

"......"

"......."

둘은 아무 말없이 패닉 상태가 되어 자리에 앉아 있었다.

6-2.

그리고 친오빠 주현길에게 들은 말은, 스폰서를 해주는 일을 그만 두었다는 말이었다.

그렇게도 예쁜 여배우들 스폰서 해주는 걸 좋아하던 창남 주현길이,

우리 드라마 조연 여배우가 스폰으로 인해 자살했다는 소식을 듣자마자 그만 뒀단다.

조연 여배우 빈소.

우리는 스태프로 가게 되었다.

".....흑흑....... 이경아!!! 이경아!!!"

죽은 조연 여배우의 이름. 이이경.

나 주민연과 동갑이었다.

.....나는 황망한 마음에 그만 가슴을 부여잡고 울고 말았다.

"...흑흑흑......"

난 아무렇지도 않았는데.

넌 얼마나 힘들었니.

넌 얼마나 고통스러웠니.

....수많은 남자들과 원치않는 스킨쉽을 하면서.

얼마나 자멸감이 들었을까.

다 내 잘못인것만 같아 눈물만 흘러 나오는데, 주예지가 울고 있는 날 불렀다.

6-3.

".....큼... 왜??"

민연이 말했다.

"....이경이 언니가 죽은 거. 언니 탓 아니야. 너무 신경 쓰지 말라구."

예지가 말했다.

"네가 웬일이냐..... 언니한테 좋은 말도 해주고....."

민연이 하도 울어서 빨개진 눈으로 말했다.

".....그냥. 언니가 불쌍해서. 연달아서 안 좋은 일만 일어나니까......

어쨌든 그럼 난 간다."

예지가 가버렸다.

6-4.

이제 우리 4편 째 찍어야 하는데..... 조연 여배우 역할을 맡았던 여배우

이이경이 많은 스폰서로 인해 힘들어서 자살을 하게 되면서

조연 여배우를 새로 구하게 되었다.

그렇게 드라마 촬영장에서 드라마 촬영을 지켜보고,

대본을 고치고, 고치고,

또 고치고,

배우는 그걸 보고 외우고, 외우고, 연기하고, 또 연기하고.....

피디와 감독은 모니터링하고, 수정하고, 작가와 협의하고....

밤샘작업이 또 시작되었다.

오늘은 강원도 춘천에서 자고 간단다.

그런데, 나는 주현길과 주예지와 남매 사이니까 같이 자랜다.

아니.... 전혀 안 친한데요.

그 순간, 번쩍번쩍 새 고급차를 끌고 온 한 사람.

....이 진이다.

"......뭐... 뭐야."

민연이 당황하며 혼잣말했다.

"....애기야! 오늘 나랑 같이 차 안에서 잠만 자자!"

진이 말했다.

"잠깐만. 넌 누구냐?"

주현길이 진에게 말했다.

그 굵은 팔뚝(...)을 팔짱을 끼면서.

"난.... 민연 누나의 미래 남자친구가 될 몸이랄까?"

진이 싱긋 웃으며 말했다.

"......그래서. 주민연 데려가려고? 데려가라~"

주현길이 말했다.

아니... 아니..

이런 모양새 아니잖아...

이렇게 팔려가는 모양새 내면 안 되는 거잖아....!!!

"..오... 오빠!!!"

민연이 말했다.

"...왜??"

현길이 뒤돌아서 말했다.

"....아.. 아무 것도 아니야..... 예지랑 잘 자!!!"

민연이 말했다.

"....걱정 말고 잠이나 쳐 자라."

현길이 말했다.

이런 쉣.....

더 픽....

걱정을 해줘도(?) 지랄이야.....

나는 진의 차 안으로 들어갔다.

"편하게 누울 수 있어. 불편하면... 음.... 불편해도 그
냥 자.

주현길이랑 주예지랑 같이 자는 것보단 낫잖아?"

진이 말했다.

".......고마워. 진아."

그렇게 나는 잠을 잤다.

6-5.

"커허엉..... 드르렁....."

삐비비비비비비-

잠을 잘 자고 있다가 핸드폰 알람 소리에 서둘러 일어
났다.

옷 상태. 멀쩡하고. OK.

옆에서 자고 있던 이 진? 없어졌고. OK?

아니, 이런 미친....

옆에서 자고 있던 진은 어디로 간 거야??

알고보니 진은 벌써부터 일어나 밖에서 담배를 멋들어
지게 피고 앉아있었다.

".....담배 피는 거 좋아하나 봐?"

내가 담배 냄새 안 나는 옆 쪽으로 서서 말했다.

그러자 진이 담배를 서둘러 땅에 비벼 끄더니 말한다.

".......새벽에 피는 담배가 맛있어서. 그래서 피는 것
뿐이야. 담배 피는 거 별로 안 좋아해."

진이 말했다.

"에이~ 뭐 어떠냐?? 너도 성인인데!! 필 수도 있는 거
지!! 이 누님은, 다~ 이해한다!!"

민연이 자신의 가슴을 팡팡 치며 말했다.

".....피식. 누나. 어제 예쁘더라?"

진이 민연에게 가까이 가며 말했다.

"....뭐.... 뭐가 말이니......"

민연이 차에 기대어 고개를 빼며 말했다.

".....가슴선이랑 엉덩이선이 특히 예쁘던데? 하마터면
반할 뻔했어~"

진이 말했다.

".....그.. 그런 말은 좀 떨어져서 해도 되지 않겠니..."

민연이 말하자 진이 한 발자국 떨어졌다.

그제서야 민연이 한숨을 몰아쉬었다.

"....휴....."

"....내가 누나라고 계속 불러주니까 기고만장해지는 걸
막기 위함이었어.

.....기분이 나빴다면 미안해."

진이 말했다.

"...아... 아니야.... 뭐 이런 걸 가지고...."

민연이 말했다.

6-6.

그렇게 드라마 4편 제작이 다 끝나고.

드디어 상영이 시작되었다.

우리는 우리 드라마 시청률을 자체적으로(?) 올리기 위해 피디실에서

모여서 드라마를 보기로 했다.

<첫사랑> 4편이다.

내가 쓴 대사들이 드라마가 되어 티비에서 나오다니....

....뭔가 믿기지가 않는 듯 했다.

...뭔가 내 상상과는 다르긴 하지만, 그 점은 쉬는 시간에 소설로 써서 출판을....

...해서 욕구를 채우는 걸로...

....그런데... 받아주는 출판사가 있을까?

....자가 출판 해야지, 뭐....

..받아주는 출판사를 언제 찾아....

그렇게 드라마 4편을 다 보고 나서.

"또 보네? 누나."

진이 고급차를 몰고와선 말했다.

"....태워주라."

내가 말했다.

그래서 탔다.

주현길과 주예지와는 어차피 따로 갈게 뻔했기 때문이

다.

"....누나 정말, 가족하고 사이 안 좋구나."

진이 말했다.

"...그걸 보면 모르냐?"

민연이 말했다.

"...좀 짠하기도 해서...."

진이 말했다.

6-7.

"누나는 뭐 좋아해? 나는 누나 좋아하는데."

진이 말했다.

".....나??? 나는 젤리 좋아해~"

민연이 말했다.

"...피식... 고백한지도 모르네."

진이 말했다.

"...뭐가?"

민연이 말했다.

"...아무것도 아니야. 들어가 봐."

진이 말했다.

".....응!!!"

민연이 말했다.

민연은 집에 가서 뻗어버렸다.

파김치가 되어 잠을 쿨쿨 잤다.

6-8.

다음 날 아침.

작가 작업실 안.

[이이경, 스폰 리스트 공개 되다.]

[최근 자살한 신인 여배우 이이경, 유서 밝혀져...]

어마무시한 기사들을 컴퓨터로 보고 있다.

"....야! 뭐하냐??"

윤지가 와서 물었다.

"....이이경 기사들 보고 있었어."

민연이 말했다.

".....이이경, 고아였다더라. 아무 기댈 곳이 없었다나
봐.

그걸 노리고, 즉.... 너처럼 사회적 약자인 걸 노리고
나쁜 놈들이 접근해온 거고.

....노리개처럼, 강간처럼, 당했었겠지... 여자로써, 너무
끔찍한 일이야..."

윤지가 말했다.

"...휴... 우리 오늘 5편 쓰는 날이지?"

민연이 말했다.

"아니? 우리 5편은 결방이야!!! 놀러나 가자!!"

윤지가 말했다.

"...나.... 결심했어. 소설 써서 자가출판 하려고."

민연이 말했다.

"..왜?? 방송 작가 월급 80만 원으로는 부족하냐??"

윤지가 말했다.

"...부족하기도 하고... 상상 속의 그대를 만나보겠어.
내 소설 속에서 말야!!!"

민연이 말했다.

"..휴.... 아서라.... 아무도 안 보면 어쩌려고.."

윤지가 말했다.

"...아무도 안 봐도!! 안 사도!! 난 방송 작가잖아!! 그
치??"

민연이 말했다.

"...그럼 나도 같이 쓰자. 카페에 노트북 들고 나와. 콘
센트 꼽는 카페 있으니까.
배터리 충전 가능할 거야."

윤지가 말했다.

"정말?? 고맙다, 친구야!!!"

민연이 말했다.

띠리리-

전화다.

민연의 전화.

이 진이다.

"여보세요?"-민연

"어디에요? 작업실?"-진

"응. 나야 늘 거기지."-민연

"...지금 갈게요."-진

"아. 안 와도 돼~~ 우리 지금 나갈거야. 내 친구 윤지랑 같이 있어."-민연

"...그럼 오늘은 친구랑 놀아. 누나. 끊어."-진

뚝.

전화가 끊겼다.

....뭐...

..뭐시기...

뭐라고??????

오늘은 친구랑 놀으라고???

흑흑흑....

뭔가 차인 기분에 울적해하고 있는데, 윤지가 말을 한다.

"...친구여... 그 기분을 글로 한 번 풀어내보지 않으련??"

"그래.... 카페로... 렛츠 고!!!!"

민연이 말했다.

"렛츠 고!!"

윤지가 말했다.

6-9.

카페에서 윤지와 민연은 소설 쓰기 작업 중이다....

"....야... 이거 한다고 해서 우리..... 돈 잘 나온다는 보장 있냐...??"

1시간 후.

완전 녹초가 된 윤지가 물었다.

"....아니.... 없지...."

같이 녹초가 된 민연이 아이스 카페라떼를 호로롭 마시며 말했다.

"그럼 우리 그냥 방송 작가 월급에 만족하고 살까??"

윤지가 말했다.

"..야... 방송 작가도 프리랜서야... 언제 짤릴 지 몰라... 그리고,

한 달에 80만 원 월급으로 어떻게 돈 모아서 시집 갈래????"

민연이 말했다.

"...시집 갈 남자가 없는데, 돈이 있으면.....

그 돈이 기둥서방이 되는 거지~"

윤지가 말했다.

"...야. 그렇다니까. 얼른 쓴 거 읽어 봐. 다음 화 써야 되니까. 퇴고 좀 하자."

민연이 말했다.

"...내가 쓴 글이지만, 참... 이게 뭔 글이냐??"

윤지가 말했다.

"....내 글도 답없다, 야...."

민연이 말했다.

띠리리-

마귀애미다.

안 받으면 사단이 나겠지....

바쁜 와중도 아니란게 들통나면....

"여보세요?"-민연

"오늘 쉬는 날이라며?? 네 오빠랑 여동생 집으로 들어
왔다. 너도 얼른

싸돌아다니지 말고 집으로 들어 와!"-마귀애미

"....저 소설책 낼거예요. 오늘은 안 돼요."-민연

"네 주제에 무슨 소설책이니??"-마귀애미

"....후..... 저 무시하는 발언 좀 그만 하시고요...."-민
연

"....그 김윤지라는 친구랑 놀고 있니 혹시??"-마귀애미

"...아.... 네.... 대충 맞아요."-민연

"....그럼 오후 8시까지만 놀고 들어 와! 안 그럼 찾아
간다!!"-마귀애미

뚝.

전화가 끊겼다.

"......휴...."

민연이 한숨을 내쉬었다.

7화

BGM:샤이니-누난 너무 예뻐 (Replay)

한 시간동안 글을 쓰고...

한 시간 동안 퇴고를 하고....

그러는 일이 계속 반복이 되었다.

윤지와 민연은 완전히 녹초가 되어있었다.

오후 6시 34분.

"...야. 우리 오늘은 여기까지만 하자.... 더 이상은 힘들어서 못하겠다...."

윤지가 노트북을 덮으며 말했다.

"...내가 하고 싶던 말이야. 오늘은 더 이상은 못 쓰겠어.... 못 읽겠고..."

민연이 말했다.

둘은 노트북을 노트북 가방에 챙겼다.

그들이 힘들게 쓴 소설이 담긴 USB도 챙겼다.

"야!! 우리 힘든데 코인노래방가서 노래나 부르자!!"

윤지가 말했다.

"..그래!!"

민연이 말했다.

7-1.

코인노래방 안.

코인노래방 안에서 노래를 부르는데, 세상에.....

나 주민연의 노트북과 소설이 들어있는 USB가 없어졌

다.

...가방을 통째로 잃어버린 것이다.

"뭐야? 너 노트북하고 USB 어디 갔어?"

윤지가 물었다.

"....잃어버린 것 같아..."

민연이 말했다.

"...기지배야!! 너 소설가 하고 싶다며!! 그걸 잃어버리
면 어떡해!!!

어휴!! 당장 찾아보러 가자!!!"

윤지가 말했다.

"...하지만.. 우리 코인노래방에 돈 냈잖아... 환불은??"

민연이 말했다.

"아, 해주겠지!!! 지금 그게 문제야?? 네 노트북이랑
USB에....

우리 드라마 대본도 있는 거 아니야??"

윤지가 말했다.

".......아.... 그러고보니..... 나 USB 하나라.... 거기에
방송 대본도 다 있다..."

민연이 말했다.

"..어휴, 그럴 줄 알았어!! 얼른 가자!!!"

윤지가 말했다.

다행히 코인노래방 환불을 받을 수 있었고,

몇 천원을 환불 받은 뒤에,

우리는 우리가 소설을 썼던 카페로 가기 시작했다.

그런데.....

가는 길에 버려진(??) 노트북 가방 하나.....

쓰레기 더미 안에서 간신히 구출한 노트북 가방은 주민연 거였다.

다행히 밟힌 흔적은 없고, 안에 내용물을 보니 멀쩡한 상황...

"야!!! 너 목숨 살았다, 야!!"

윤지가 민연의 등짝을 팡 두드리며 말했다.

"....하... 진짜 다행이다.... 진짜...."

민연이 한숨을 내쉬었다.

.....우리는 뭔가 다행이고 꿀꿀한 기분에 노트북 가방을 들고 영화관에 가서

영화를 두 시간 보다가, 그만 통금시간을...

.......넘어버렸다.

오후 8시 32분.

영화관 밖을 나가자, 아니나 다를까, 마귀애미가 아빠와 함께 나와있었다.

"기지배야!! 통금시간 지키랬지!!"

엄마가 민연의 등짝을 짝 때리며 말했다.

"...제가 여기 있는줄 어떻게 알고 오셨어요???"

민연이 말했다.

"....위치추적했다!!!"

마귀애미가 말했다.

그 말에 소름이 돋았다.

"...민연아, 내일 또 보자~ 잘 가~"

윤지가 인사를 했다.

"...어.... 잘 가..."

민연이 말했다.

"....얼른 가자!!!"

마귀애미가 말했다.

7-2.

그렇게 집으로 끌려들어왔다.

"자!! 이제 네 방으로 들어가!!!"

마귀애미가 날 방으로 집어넣었다.

그리고 저벅저벅..

마귀애미가 멀어지자, 나는 소리쳤다.

"내가 무슨 돼지새끼야!??!!? 돼지우리에 집어넣는 돼지새끼냐고!!

아우!! 열받아!!"

집에 있는 치이카와 쿠션이 성할 날이 없다.

내가 치이카와 쿠션을 막 쳐대며 화풀이를 하고 있는데, 문자음이 들린다.

띠로리-

"누구지?"

민연이 혼잣말했다.

[집에는 잘 들어갔어? 누나? -진]

진이다...

으악!!

어떡해....

[당근. 잘 들어갔지. 너는? -민연]

[나는 오늘 하루 종일 누나 생각만 했어. -진]

<u>흐흐흐</u>...

하루종일 연하남이 내 생각만 했대.

이게 무슨 일이야....

진짜....

그 사실만으로도 너무 귀엽고 좋다....

괜히 요즘 연하남이 대세인게 아닌가 봐....

[나 소설책 나오면 네가 사주라. -민연]

이런 구걸을 하게 되다니....;;;

[당연히 사야지. 100권도 사줄 수 있어. -진]

이런...

미친 놈....

돈 많다고 자랑하는 거야... 뭐야.....

[하하하. 고맙다... -민연]

[내일도 결방이라 놀지? -진]

[응. -민연]

[그럼 내일은 나랑 놀자. -진]

[그건... 윤지한테 물어봐야 되는데... -민연]

[걔 버려. -진]

오잉???

내가... 윤지를 버릴 수 있나???

현재 내게 그나마 괜찮은 삼인방.

아빠, 김윤지, 그리고 이 진....

....윤지를 버릴 순 없는데....

[그렇게는 못하겠는데... 우리가 사귀는 사이도 아니구... -민연]

[후... 좋아. 그러면 내일 셋이서 같이 놀자. -진]

[그래, 좋아. -민연]

[내일 술 마실 거니까 준비 단단히 하고. -진]

오잉?!

내일 술을 마실 거라고?!?!!?!?

무서운데???!?!?

7-3.

다음 날.

드라마 5편이 결방 날이라 할 일이 없던 우리는 진을 따라 삼겹살집에 왔다.

"삼겹살 3인분에다가, 술 두 병 주세요."

진이 말했다.

"네~ 알겠습니다~"

종업원이 말하더니 가버렸다.

"야.... 나 술 못 마시는데 어쩌라구...."

민연이 말했다.

"...마시다보면 잘 마시게 돼."

진이 말했다.

".....그래!! 민연이 넌 현실을 잊을 필요가 있어! 가족 중에 왕따인데,

어떻게 견디냐??? 술이라도 먹고 풀어야지!! 마셔라!! 부어라!!"

윤지가 말했다.

"음식 나왔습니다~~"

종업원이 음식들을 가지고 왔다.

그렇게 우리는 삼겹살을 굽고, 술도 함께 마셨고.....

.....민연이 술에 거하게 취하자, 갑자기 울기 시작했다.

"..야아... 내가 왜 놀랄 때 엄마야... 라고 안 하고 아빠야....라고 하는 줄 아냐??

그건 다... 우리 엄마가...... 날 잘못키워서야.... 엄마가 마귀라서 그런 거라구... 흑흑흑..."

민연이 말하며 울었다.

"....친구야아~~ 울지마~~"

윤지가 민연의 두 어깨를 감싸며 말했다.

"....고작 그것 먹고 취했냐??"

그에 비해, 진은 말똥말똥 하다.

윤지도 취해서 헤롱헤롱 하다가 식탁에 머리를 쾅 하고 박아버린다.

....필름이 끊긴 듯 하다.

".....야... 너네들.... 진짜로 취했냐???"

진이 당황해하며 말했다.

"........나는 집에서 사라져야 될 존재인가 봐... 흑흑흑....."

민연은 갑자기 울며 한탄을 하다가 식탁에 같이 머리를 박고 누웠다.

"....후..... 미치겠네......."

진이 술을 아무렇게나 마신 뒤, 그들과 함께 대리운전을 불러 자신의 집으로 갔다.

7-4.

다음 날 아침.

짹짹-

짹짹짹-

아침 새소리에 주민연이 일어났는데,

여긴 처음보는 넓은 거실방이다.

옆에선 윤지가 자고 있다.

아차!!!!

엄마한테 죽었다!!!!

핸드폰을 찾아봤으나, 핸드폰은 아무 것도 없었다.

"내가 민연 누나 엄마한테 전화해서 우리 집에서 자고
간다고 해놨어."

아침부터 씻은 진이 머리를 수건으로 말리며 말했다.

".....아.... 그래.... 고맙다....."

민연이 말했다.

진의 셔츠핏은 완벽했다.

....샤워를 한 후에도 셔츠랑 바지로 입는 구나.....

..나는 이제 뭐하지.....

소설 써야지!!!

"야!! 진아!! 너네 집에 컴퓨터 있냐??"

민연이 말했다.

7-5.

오늘은 다행히 토요일이다.

민연이 가슴을 쓸어내리며 소설을 작성해나가고 있었
다.

1시간이나 지났을까. 한 편의 분량이 나오고.

마귀애미한테 전화가 왔다.

"...멀쩡하니?"-마귀애미

"...엄마.."-민연

"..너 남자 생긴 거 같더라. 그 남자랑 잘해봐~"-마귀애
미

"..네?? 제가 무슨 남자가 생겨요??"-민연

"....어제 나랑 통화한 남자 있잖아. 이름이 이 진이라고 했던가????

유명한 천재 프로게이머라며?? 돈도 많아보이던데. 잘해서 집 나가라.

애미 끊는다."-마귀애미

뚝.

전화가 끊겼다.

마귀애미의 사실 이름은 김현정이고, 나이는 51세이다.

아빠의 이름은 주민길이고, 나이는 55세이다.

....이걸 이제야 생각하네.

..이럴 때가 아니지. 퇴고.

퇴고를 해야해.

...아직 출판하려면 한참을 더 써야한다.

.....에휴....

한숨을 속으로 쉬고 있는데, 윤지가 방으로 들어온다.

"...야... 잘 지냈냐?...."

윤지가 말하며 내 컴퓨터 의자를 꼭 붙잡았다.

".....잘 지내긴. 개뿔...."

민연이 말했다.

"....네 소설 받아주는 자가 출판사가 있겠냐?? 거기도 출판사인데??"

윤지가 말했다.

"....아.... 일단 내봐야지."

민연이 말했다.

"너무 고생하진 마라... 괜히 네 마음만 다친다.

...아... 토나올라 하네.... 난 화장실 가본다..."

윤지가 말했다.

"....그래라."

민연이 말했다.

열심히 읽고나서 퇴고를 하고 있는데, 이번엔 진이 방
으로 들어온다.

"나 어제 아무 짓도 안했어. 둘한테."

진이 말했다.

"누가 뭐래?"

민연이 말했다.

"...근데, 뭔 소설 쓰냐??"

진이 말했다.

".......연애소설."

민연이 말했다.

"...푸, 푸하하!!!! 모태솔로인 누나가..... 연애소설!????
미쳤다, 미쳤어!!"

진이 웃으며 말했다.

"..아, 그럼 어떡해!!! 로맨스가 그나마 잘 쓰는 거 같
아 보인단 말이야!!"

민연이 말했다.

"어디 보자.......

.......너의 살떨리는 숨결이 내게로 스며들어오자 내가 숨을 한껏 참았다.

그러자 네 입술이 점점 내게로 다가왔고 우리는 입술을 부딪히며 둘의 진한 입술을 나눴다.

......이게 대체 무슨 말이야???"

진이 말했다.

"...아, 넌 그것도 모르냐?? 키스를 한다는 뜻이잖아!!"

민연이 말했다.

그러자 진의 얼굴이 새빨개졌다.

"....키스라고??"

진이 말했다.

"....응. 그래. 키스. 왜. 뭐가 잘못됐냐??? 우리 드라마에도 키스신 많이 나와.

넌 안봐서 모르겠지만."

민연이 말했다.

"....뭐 그리 야시꾸리한걸...... 다 쓰고 난리냐??"

진이 말했다.

"...왜?? 너 혹시.... 변태냐?? 나랑 키스가 하고 싶어???"

민연이 말했다.

"....응. 하고 싶은데??"

진이 말했다.

"....뭐라고??"

민연이 말했다.

"...방금 전에 민연 누나가 먼저 한 말이니까, 무르기 없기다?"

진이 말했다.

그러면서 둘은 입술을 가까이 다가갔다.

"잠깐만!! 스톱!!"

윤지가 방문을 열고 나와 말했다.

"....좋았는데... 뭐야...."

진이 말했다.

"..너네 둘, 사귀는 사이 아니잖아? 그런데 무슨 키스 야?? 안 된다, 안 돼!!"

윤지가 말했다.

"....후... 그나저나, 출근 할 시간 다 됐는데????"

진이 말했다.

그들은 출근을 하기로 하고 출근길로 향했다.

7-6.

"....토요일에도 출근해야되는 이 인생이, 정답인거 맞 냐??"

윤지가 말했다.

"...아니... 그건 아니지만..."

민연이 말했다.

"....맞다. 너 드라마 끝나면, 뭐 할거야?? 우리 같이 들어가자."

윤지가 말했다.

"....음.... 글쎄? 불러주는대로 가야지. 나야 뭐, 을인
입장이니까..."

민연이 말했다.

"....재미없다, 야.... 오늘 우리, 5편 내용 미리 쓰기로
했어.

결방이지만..... 방영 날짜가 얼마 안 남았다고."

윤지가 말했다.

".....또 일 시작이구나."

민연이 말했다.

"....후후후... 뭐.... 그렇지, 뭐..... 너랑 나 소설책은
언제

출판할 수 있을 지 미지수다, 야...."

윤지가 말했다.

"자자, 조용!!! 지금부터 5편 미리 쓰고 검토할 거야."

민혜작가님이 와서 말했다.

"...네!!"

윤지가 말했다.

"....."

민연이 가만히 있었다.

"....오늘 뭐 기분 안좋니? 민연아."

민혜가 말했다.

"....아, 아무 것도 아니에요."

민연이 말했다.

'내 소설은 언제 쓰지...'

민연이 속으로 걱정을 하는 거였다.

'일단, 주어진 일을 열심히 하자.'

민연이 생각했다.

그렇게, 5편을 미리 쓰고, 퇴고를 하는 시간이 지났고,

민혜와 민연, 윤지가 쓴 5편 중에서.... 스타트는 윤지

가 끊기로 했다.

"...와우!! 정말로 내가 해도 되는 거에요??"

윤지가 말했다.

"...이번엔 김윤지가 제일 잘 썼으니까 그래도 되는 거

겠지?"

민혜가 무심한 듯 말했다.

7-7.

이 진과 함께 하는 게임 방송 안.

이 진의 팬들이 가득하다.

....그가 너무 말도 안 되는 실력을 가지고 있어서.

....거기다, 곱상한 외모에, 곱상한 이름까지 더해지니,

여자들이 미칠 만도 했다.

진은 대충 웃어주며 프로답게 게임을 하고선, 게임 방

송을 1등으로 끝냈다.

"....오늘도 1등 했네? 재수없는 새끼."

한 남자 프로게이머가 말하며 침을 퉤하고 뱉었다.

"...뭐라고? 너 지금 뭐랬냐?"

진이 말했다.

"...미안하다? 그런 말 해서. 됐냐?"

한 남자 프로게이머가 말했다.

"...."

진이 아무 말도 하지 않았다.

"...여자친구는 맨날 바뀐다며? 그 소문은 사실이냐?"

남자 프로게이머가 물었다.

"...네가 알 거 없잖아."

진이 말했다.

"....그래. 알았다. 잘 가고. 다음에 또 보자."

남자 프로게이머가 질투를 삭힌듯 말했다.

8화

BGM:도경수(D.O.)-내일의 우리 (Ordinary Days)

그로부터 3년 뒤.

나, 주민연은 29살이 되었다.

...그리고, 이 진과는 저번 달에 결혼하여 신혼집에서
살고 있다.

아직도 방송계에서 일하고 있는 방송 작가지만, 지난
3년 동안

총 10권의 책을 자가 출판해서 냈다.

내가 시집을 오자, 가족들은 내게 일절 터치 하지 않는다.

주현길과 주예지와도 얘기 하지 않은 지 오래되었다.

그래! 오히려 이게 더 편하다.

김윤지와 나는 가끔 만나 술을 마신다.

윤지도 역시 중매를 집안의 도움으로 간신히 봐서 중매결혼을 했다.

중매결혼이지만, 꽤나 연애를 한 뒤에 결혼했기 때문에, 행복하다고 했다.

우리가, 벌써 이렇게나 자라버렸다.

...벌써 이렇게나 나이가 먹어서, 어느 새 결혼을 하고, 한 가정을 꾸렸다.

난 항상 마음을 먹는다.

우리 가족과도 같이 차별하는 가족은 만들지 않겠다고 말이다.

"...뭐해? 자기야."

진이 컴퓨터에 앉아 소설을 작성하고 있는 나에게 와서 물었다.

밤 10시 35분.

난 일찍 퇴근한 후 소설을 적고 있었다.

"....뭐긴 뭐야... 연애소설 작성 중이지."

민연이 말했다.

"....재밌겠네. 다 하고 침대로 와."

진이 말했다.

"그래. 알겠어!!"

민연이 말했다.

"....오늘 밤은 우리 애기 만들거니까."

진이 피식 웃으며 말했다.

"...뭐... 뭐라고????"

민연이 깜짝 놀라며 말했다.

....그렇게..... 청춘의 밤은 저물어져 간다.

完.

쓴 기간:2023.3.27.~2024.5.19.

작가의 말:오랫동안 수납되어 있던 소설을 꺼내어 완결을 내보았습니다.

무려.... 약 1년 동안 소설을 수납하고 있었네요.

갈수록 KB용량이 적어지고 있어요..... 이러다가 책을 못내는 건 아닐지.....

걱정이 되긴 합니다......

최소 50페이지가 되어야 책을 낼 수 있긴 한데.....

에라이 모르겠다..... 솔직히 책 낸다고 해봐야 안 팔리고.....

그냥 쓸 수 있는 만큼만 쓰는게 이득이라고 봅니다......

그리고 책을 못 낼수도 있는 거잖아요???

아무리 자가 출판이라고 하더라도......

저는 현재 27세 중증정신장애인 경계선 지능장애 수급
자로 여자입니다....

....시집은 당연히(?) 못갔고..... 모태솔로 랍니다....
^-^

연애소설을 작성하는 걸 좋아해요....

....지금 이런 걸 쓸 때가 아닌데....

....너무 빨리 완결을 내버렸습니다...!!!! 흑흑흑 ㅠㅠㅠ
ㅠㅠ

더 쓰고 싶었는데..... 그런데....!!!!

이게 드라마 5편 쓰고 몇 편 쓰고 계속 이어쓰다보면
재미가 없을 수도 있으니까요....

소설 내용 말입니다.....

....이번에는 작가 소개란에 중증정신장애인 경계선 지
능장애 수급자라는 걸

밝힐 예정이에요...!!! 어차피 작가 생활 오래하기도 했
고, 언젠가는 밝혀야 될 것

같아서요....!!!! 마케팅이 될 수도 있고요....!!!!

1년이 넘는 시간 동안 잘 버텨내주어서 감사합니다.

오늘도 좋은 하루 되세요.

문학가 김수정 이었습니다......

우리의 방식 (부제:세상아 덤벼라) 등장인물

주민연 26세

주현길 27세

설국열 26세

안성규 27세

주예지 25세

김윤지 26세

이민혜 41세

이 진 25세

이이경 26세

김현정 51세 삼남매의 엄마.

주민길 55세 삼남매의 아빠.